FISH — HOOSES 2

Stanley Robertson is well known as a master story-teller of the Traveller people. For over thirty-six years he has worked as a filleter in the fish-trade, in Aberdeen, where he was born in 1940 and still lives. A nephew of the late Jeannie Robertson, he is also a ballad singer and tradition-bearer, and has lectured in Universities in the U.S.A., Canada, Europe as well as in Scotland. He also works as a story-teller in schools; he won the BBC Radio 'Listeners Corner' story competition, and has recorded a children's cassette tape. He has been featured on radio and television many times.

FISH-HOOSES 2

Stanley Robertson

with illustrations by

Eric Ritchie

BALNAIN BOOKS

Printed by Billings Ltd, Worcester
Cover printed by Wood Westworth

Published in 1991 by
Balnain Books
Druim House
Loch Loy Road
Nairn IV12 5LF

British Library Cataloguing-in-Publication Data:
 Robertson, Stanley
  Fish-hooses 2.
  I. Title

 823.914 [F]

ISBN 1-872557-12-0

for
Gabrielle and Arthur; Angela and Bessie; Jessie and Elsie;
Julia; Clifford, Pam and Aaron; Dale and Alison; Tony

AYE GRAFTING

It wis the case of working hard aa the time in order tae mak some kind of a living. At least there wis aye plenty of fish in them days and ye could be sure that ye had a job. In the early sixties the fish trade wis daeing gey weel, there wis plenty of casual work as weel as yer everyday job. The pay wis naething really startling but it sort of jist kept the wolves awa frae the door. Like ony ither poor body I didnae hae muckle money tae bless mysel with. Whinever I heard of a casual job at night I wis roon like a flash. Believe me, it wisnae greed but need.

Me wife and me bade intae a smaa roomie intae Sandilands Drive and we bade with my wife's parents. Noo the auld wife wis a fine body but the auld man had a very queer nature and sometimes he wid mak yer life miserable. In them days the Toon wisnae sae kind as tae gie ye a hoose. Johnann and I hid twa bairnies intae the one room and she wis weel on the wye with anither yin. Pandemonium ruled whilst we bade there cos it wis sae packed tae the gunnel with stuff that ye didnae hae enough room tae swing a cat. It wis fair chockabloc: a table with four chairs, a crib for Robert, a moses basket for Anthony, a studio couch for weresels and aa the rest of oor belongings. What an irritating place tae bide in and sometimes it wid mak ye lose yer rag. Never mind, we stuck it oot until eventually we got a new hoose frae the Toon.

At least the fish trade gaed me a steady income and I needed it aa tae pay me debts. Somehow, we owed an awfy lot of shops money and aa the tick men used tae come up on a Friday cos they kent ye got yer pay. The silly thing wis that ye never ever kent whit ye were paying for. Tick gadgies wid come and persist in leaving ye with sheets, blankets, shavers, toasters and aa kinds of stupid things that ye didnae want. They jist left them there and pressurised ye intae taking them when they cawed roon the next time. Ye were paying tick aa the time. So in order tae pay this stuff that kept on mounting ye hid tae work aa hours of the night and even all-nighters. Mony a darker I hae deen, and really finished up with hardly a bean.

Me usual routine wis getting up aboot a quarter tae seven and making mysel a moothfae of tea. I never teen breakfast though there wis aye cornflakes or something available tae eat but I couldnae be bothered making onything. It wis more important tae keep the hoose quiet cos the auld man didnae like the slightest noise in the morning. Maistly the twa wee laddies were asleep whin I wint oot the door so I jist slipped quietly awa tae catch me bus.

Noo if ye caught the half past seven bus ye were in plenty of time but if it wis the twenty tae or the quarter tae then ye kent the gaffer wid gie ye a bullicking. It wis like water aff a duck's back and ye jist stuck yer twa fingers up tae him or gie him a tear of lip in return. There wisnae awfy muckle niceties amang fishworkers.

Ye kent aa the folks that caught the bus. Some of them ye avoided. There wis een loon that aye begged ye for his fare. Noo fourpence is nae an awfy lot but whin ye hae naething it wis a fortune. Sometimes I ate the face aff of him. There also wis anither wifie that never hid ony fags and she wid deliberately wait for ye coming so that she could get a fag frae ye. The thing wis that I hid tae buy maybe only twa fags tae mysel cos there wis a shoppie that selt loose fags for tuppence each. That wis handy if ye didnae hae the price of a packet of five. Mind ye there wis some awfy fine lassies wha often paid yer fare and they wid gie ye a fag if ye didnae hae a smoke. Aabody kens that smoking is nae guid for ye but that wis the only kind of pleasure ye hid.

Everything else wis humdrum and tedium. Each morning on the bus ye caught up with aa the scandal and gossip that wis gan on roon aboot ye. Intae the fish trade news traivelled very fast and somehow ye seemed tae ken things that were happening in ither fish-hooses. Yet there wis a code of honour amongst the fish workers and if somebody hid a right grievance then he got the sympathy of his comrades. I personally hae seen a whole fish hoose come oot on strike cos somebody got a rotten deal frae a boss. Ye hid tae stick taegither cos ye were aa in the same boat.

On the ither hand the bosses hid the upper hand cos they could blacklist yer name as a trouble-maker and that made sure ye widnae work in ony ither fishoose.

As I said before, the fish trade wis a scabby thankless job and ye worked there through necessity rather than choice. For aa that, it did feed me and me bairnies for a bonnie puckle of years, but I grafted hard for ony coppers I got. There wis naething for naething. Some bosses wid sometimes gie ye a sub if ye hid nae money and ye felt shamed tae the bone asking them for it. I did hae een boss wha used tae gie aa the staff ten shillings on a

Tuesday and if he wis in a guid mood he wid buy ye ice cream and ale or occasionally slip ye a half-croon. It wis weel earned.

Many bosses were pure turds tae their workers and humiliated them in front of ither bosses. Usually if een of yer folks died they wid gie ye a little something but whin me mither died me boss teen the pay aff of me cos I wint tae me mither's funeral and it wis also the same whin me faither died as weel. I jist couldnae fathom how they wealthy gadgies could tak funeral money aff a faithful honest worker. It jist goes tae show that they didnae think muckle of ye. Being honest didnae get me naewye with bosses, maist eens I kent preferred the crooks cos they wid wink or close the eye tae misdemeanours. At least I can say that I never cheated nor stole frae ony of me bosses though mind ye I felt like daeing it mony a time. But that's aa water under the brig noo.

Trying tae mak a living wis the real business and ye simply tried tae get work wha ever ye could. They say that gold is whar ye find it and I doubt I hae been tae a bonnie puckle gold mines.

Working intae ither places at night upped yer pay sae that ye could kind of work oot yer financial difficulties. Every place hid different rules and also different kinds of gaffers.

Once ye kent the place wis a skitterhoose ye jist widnae gang back. Yet there wis some rare places and ye enjoyed working in them. It wis the company ye were with that made it worthwhile.

Usually fine places aye hid regular casuals coming in and sometimes ye only got a short shottie in a place. If I got intae a rare place then I tried me very best tae impress the folks. Ye hid tae be a bit of a sook at times but what were ye caring, for it meant that ye could get back tae a decent place tae casual again. Somehow the scabby places were the places that ye aye got, cos naebody wanted tae gan there. Regardless whether or not I liked the place I aye telt stories tae pass the lang dreary nights awa. It didnae mak muckle difference if I spoke or nae, cos I wis able tae fillet and speak like the livin' wind at the same time. There wis nae bonus tae worry aboot cos ye were aa getting maybe twenty-five bob for yer night's work. Folks liked when I telt them stories and especially the creepy tales.

Perhaps it wis jist that I did hae the power tae hud me audience, onywye the stories saved ye frae cracking up and it made the time flee by. Whit I wid like tae dae noo is tae tell ye aboot some of the nights working casual, and meeting different characters and some of the tales I wid tell roon the fish-hoose tables in Alberdeen.

TUSK A TASK

There wis a place whar I used tae casual in and it used tae dae a lot of big sprag. Noo ye aa got the same hourly rate for yer work but some filleters were faster than ithers. It didnae really maitter how much ye cut cos naebody ever checked up upon ye tae really see whit ye were daeing. As it wis big fish ye cut, the nights werenae sic a drawl. Sprag were fine and easy tae cut and I really enjoyed daeing them.

Een night I wint roon with a quine that I often used tae speak tae and we were baith gan tae this place tae work late. Usually ye wid gan roon at dinner time tae see if ye were needed, but ye hid tae gan roon quick, mind, or somebody else wid hae got the job afore ye. Whin the gaffer kent ye, then ye sort of aye got a steady casual frae him. He wis a rough man and if ye crossed him in onywye ye were oot of the door like a flash, so ye aye made sure that ye didnae gie him ony lip. The twa of us wint roon tae fillet and whit a shock we baith got. Wid ye believe it. There wis a thundering great load of the roughest looking tusk that ye ever did see. The boxes were fair reeming oot the door and ye could hardly get moved for them. If ye said that ye were gan roon then ye hid tae keep yer word cos ye wid never get back again, and I needed the extra cash tae get me by.

Noo tusk is a big broon snottery-looking fish and it has skin like rubber. They hae a wee bit of a funny tang aff them and ye have tae hae a knife like a lance or ye jist cannae dae naething with them. Yer shooders were awfy sair with pushing yer knife through the tough rubbery skin and ye hid tae watch that ye didnae cut yersel whin ye took aff the first side of the fish. Aa the snottery slime ower them made it very easy for yer knife tae slip and gie yersel a right kamikazi cut; mony a person I hae seen gieing themsels awfy slices and the place bleeding like a butcher's shop. Woolmanhill Infirmary wis forever packed with fishworkers haeing cut hands and poisoned fingers. It wis aa part and parcel of the trade. The bosses wid say they were occupational hazards. If ye cut yersel there wis nae ony sympathy. I eence seen a laddie cutting the top of his finger nearly aff and the boss tying a polythene bag ontae it and making him work on for ages. That boy hid tae empty the bag of bleed oot every ten minutes. When he eventually got awa tae go tae the hospital he hid lost an awfy lot of bleed. The doctors gaed him a dose of lip for nae coming up right awa.

Onywye, me and this quine, wha a lot of the boys cawed 'Lollipop' wint intae the place. We baith already hid oor ain knifes, boots and aprons and as we were early we baith got good places at the big filleting tables.

Noo I wondered why the boys used tae caw her 'Lollipop' and I soon found oot. According tae a couple of the guys she hid a very nasty temper and if ye said the least thing wrong tae her, she wid tell ye tae lick every bit aboot her. Though I found her a fine lassie, some of the laddies wid gie her awfy lip. She didnae tak too muckle stick frae them. If they tried tae shame her up she could gie an answer that wid button up their mooths. Fin we started cutting this scabby tusk, anither aulder-type fella came tae fillet. He wis a big brosy-faced man and ye kent he wisnae the type of lad tae mess aboot wi. Apart frae saying 'good evening' I never spoke much tae him. The moment he saw Lollipop he shouted and swore ower tae her,

"Hey, ye dame, ye better tak back this crabs that ye smitted me wi." Whit a terrible thing tae say tae ony young lassie. Lollipop soon gaed him back as guid as she got. She replied,

"Weel whit dae ye expect for one and tuppence halfpenny — blooming partans?"

He held his wheest and never spoke anither word aa night. Ony wye the work that night wis extra and me airms were aboot hanging aff. The time wis passing by like an eternity so some of the workers were asking me tae tell them a story cos boredom wis setting in.

Noo there wis twa ill-tricked loons playing aboot aa night and they were baith likeable boys so I thought I wid tell the folks a bit aboot me and me pal Decky whin we were loons. I said it wis aboot twa ill-tricked loons and I pointed ower tae the twa young lads and they suddenly stopped palavering and actually listened tae me. The stage wis set so I began tae relate them a wee bit aboot mysel...

ILL-TRICKED LOONS

"They were the very best of freens but they were twa ill-tricked loons, and fly yins at that. Sandie wis twelve years auld and Hughie wis eleven and they were second cousins tae een anither. There wisnae a trick on how tae mak lowdy that they werenae intae. They wid sell auld clothes roon the hooses or they wid gaither rags and woollens so that they aye hid something tae mak a meck wi. Their natures were baith very explosive and many a time they wid batter een anither ower naething. It wis jist the wye they were.

Een time they were baith walking doon a lonely lane, and there wis a half a croon lying ontae a pavement and they baith made a grab for it, and the coin fell intae the drain. Weel they battered een anither black and blue, until they came to a decision that it wid be better tae halve it between them. Sandie actually got it oot of the drain and they shared it in half. Yet they aye seemed tae quarrel over everything. They tried their hands at aathing possible tae earn a copper. They wid tak their cartie awa and they wid gang roon aa the kanes and collect auld newspapers, cos there wis a place intae the Toon that used tae pay ye weel for waste paper. It wis great while it lasted, but the gadgie that hid the place for taking in waste paper started tae turn awfy gutsie and gaed the loons only pennies for aboot ten-stone of paper so the boys stopped collecting it.

Whin they got some auld clothes frae Hughie's faither they wid sell them roon the kanes. It wis funny tae hear their patter at the folks doors. Hughie hid the gift of the gab: he wid ask the manishees tae try on a coat or something, and he wid chairm them by saying things like, "It maks ye look like a film star, and the colour gangs weel with yer hair." At the same time he wid whisper tae Sandie, "Whit an ugly cullochan, hoo the devil could she deek guid in onything?" Yet he hid the gift tae sell things and the loons made a few coppers aff of it, but of course there wid aye be a fist fight ower the sharing of the lowdy.

There used tae be an awfy fine man wha hid a rag store, and he aye paid the loons a guid price for their auld tats. He wis a big guid-natured gadgie and he never cheated the young yins: this man wis honest. He wid aye gie the loons something like seven and sixpence, or five hog-sticks, for their rags. The loons aye liked him best and maistly they wid tak aa of their stuff tae him.

Een day, it wis an awfy hungry-midden time and the twa lads couldnae get a wing nor a roost between them. They couldnae get nae claes tae sell nor were there ony papers tae be got, it wis aye a hard-up day for them. It wis a Saturday, and Sandie had a sister intae Strathcathro Hospital and he liked tae gang oot and see her every Sunday, and he needed three shillings for his fare. Weel the laddies tried aathing they could tae mak lowdy but it wis jist een of they hungry-gutted days.

As they were walking through the Castlehill Barracks their wis a wee clatty bit ontae the side of the stairs as ye entered in frae Justice Street, gan up tae the mairried quarters. They stopped and deeked doon intae this deep clatty recess, and lo and behold, it wis full of aa kinds of diseased rubbish that hid bin lying for eons. Intae this dirty place wis an auld filthy flook mattress that must hae bin filled with every kind of known germ. The twa loons were desperate for lowdy, and Hughie said tae Sandie, "If we can get oot that auld mallet that is full of flook, and pit it intae a great big sack, then we could get lowdy for it cos aifter aa flook is classed as rags."

Sandie says, "But that auld flook mallet is awfy clatty, and we'd pick up a parable upon us for touchin sic a filthy object. It deeks as if somebody his croaked their last upon it and I dinnae feel like touching sic a lump of rubbish wi me bare fammels and maybe getting a trouble aff of it."

"We winnae catch onything aff of it if we're careful how we handle it," says Hughie. "If we get auld gloves and a big sack and a tow tae tie aroon it, then we could pit it on tae the cartie, and we could tak it roon tae the rag store," cries Hughie.

As it wis the last resort they hid tae mak lowdy, Sandie agreed tae gie it a try. They wint back tae Hughie's faither's hoose and they teen a big bale sack and a bittie strong tow and they got auld gloves, and back they wint tae get this clatty auld disease-ridden mattress. Firstly they hid tae climb doon this deep recess whit wis like a midden; the stench coming aff of the place wid knock doon a cuddy. There wis every species of creepy crawlie insects infesting the mallet, alang with aa smelly kinds of substances. It wis fair alive with disease and it wis a haven for every kind of filth under the sun.

It teen them a good twenty minutes in amongst aa this clatt tae tie up the scabby mallet, and tae pit it intae the bale sack. The flook mattress weighed aboot six steen and whit a job it wis tae tie up aathing. At lang last they got it deen and the laddies scaled the walls of this deep recess, and with aa of their might they levered it up oot the midden. It wis an awfy difficult task but aifter much huff and puff they eventually got it up and on tae their cartie. The sweat wis blinin them.

They decided tae tak the rags roon tae the fine gadgie that aye gaed them a guid copper for their rags. Noo it jist happened to be dinner time and this man wis eating something: buckies and rolls alang with a cake of chocolate, and a cup of tea as weel. Fit scunnering food he wis eating but he seemed tae enjoy that sort of thing. The wifie that helped him mind the store wis intae the next room haeing something tae eat as weel. Noo whin the twa loons came intae the rag store the mannie greeted them and offered them some buckies. "Whit a big amount of tats ye hae the day for me," says the rag merchant. He kent the lads weel and he aye laughed and joked with them, cos he wis indeed a fine natured gadgie.

"Aye, we hae bin busy the day collecting tats," says Hughie.

"That's a fine big bale sack ye hae there, dae ye want it back, cos I would fairly use it," says the man.

"Ye can keep it", says Sandie.

"Weel, seeing ye are sae guid hearted I'll gie ye a florin mair than yer rags are worth."

The loons got their lowdy and immediately wint oot of the shop store, but as usual spent time arguing ower a few pennies. They were only a few yairds awa, and they were arguing and ready tae swap blows they heard the maist awfy loud commotion coming frae the store. Weel the wifie intae the store must hae emptied the sack that she thought wis auld tats and oot came thousands of horrible insects that frightened her oot of her wits. Whin the man wint ben tae see whit wis wrang, he nearly puked up his chocolate and buckies. Oh, whit a disgusting stoor wint roon the ragstore! The folks inside were gang killiecrankie. Then the man ran oot of the shop and deeked the twa ill-tricked loons, and they fled for their lives. The man shouted "I'll kill ye stone deid if ye ever come near me store again."

Then he shouted, "I'll gie ye anither twa shillings if ye come an tak the scabbie mallet awa with ye again." Weel, the loons stopped on their tracks and shouted back, "Ye winnae batter us if we came back and teen it awa and dump it somewye?"

"No, no," cried the man. "I wis jist angry for a minute. Noo will ye tak the smelly mallet oot of the store."

The twa loons wint back intae the store and lifted up the scabbie mattress and pit it back intae the sack and on tae their cartie again. The man gaed them the twa bob but he kicked baith their airses hard for making a fool oot of him and infesting his store with a multitude of horniegollochs and ither horrible things. The loons didnae bat an eyelid and they jist kinked intae the rag merchant's face.

The loons got a guid day's lowdy for their clatty mattress. It wis weel worth a kick on the airse for the guid laugh they got.

Weel the lads still argued aboot how much een should get and they never seemed tae come tae proper agreements aboot their lowdy, sure as death there wis aye a fight broke oot.

Yet they were the very best of pals and they wid stick

by een anither through blood and thunder. Mony a strange tale they could tell ye aboot the adventures they hid trying tae mak lowdy for themselves. For aa said and deen they were jist twa ill-tricked traiveller loons."

Whin the story wis finished the twa lads jist laughed and said, "Oh, we're nae as bad as them, or nae half as fly!"

Although I tell them the story I didnae actually tell them it wis really me and me pal Decky but made it oot rather tae be ither folks so that naebody wid say too much aboot Traivellers. Sometimes folks got a bit stroppy and they wid mak snide and cutty remarks aboot being a traiveller. Even though I personally never did aa that much camping, or kent the wyes of the traivellers, I didnae like it whin the scaldies wid speak aboot them. They were my ain folks and I widnae hear them getting miscawed, neither wid I deny them. Me mither aye said tae me that aa the salt water in the sea widnae wash it oot of me blood-stream, so I hid tae be like the oyster, if I couldnae remove it, then I should improve it.

Usually somebody wid ask questions aboot Traivellers and I aye telt them the truth aboot them. It wis a very sensitive subject cos a lot of folks aye thought that the Traivellers were clatty and wid say aa manner of things aboot them. A silly quine cawed Suzie said, "I widnae like tae be a Traiveller."

Her mate piped in saying that she aye feared her wee laddie by saying tae him, "if ye are a bad boy I will send ye awa tae Tinkieland."

A birse wint up the back of me neck like a ferret. I could feel my bleed beginning tae bile. Then being diplomatic I telt folks the story of Tinkieland...

TINKIELAND

She wis jist a poor Aiberdeen scaldie manishee wha hid hardly the price of her supper. Lottie wisnae muckle different frae onybody else that bade roon aboot Cassie End Wye, cos as there wis a great depression gan on throughout the hale breadth of the land, she wis jist unfortunate tae be caught up with the times. Her gadgie hid left her for tae gang awa with anither dilly and Lottie wis left with her only son, wha wis aboot nine year auld, and his name wis Charlie.

Lottie grafted in a fish-hoose part time and she hid tae spend the money ontae jist scrapin her wye by, and living frae hand tae mooth. There wisnae ony luxuries in her loochie-infested attic.

Noo, wee Charlie wis a peelie-wallie looking loon. His face wis awfy white, and his claes were shabby and loorichie. He wis a bright enough wee spark but he wisnae very strang; his mither did her best for him but she really hid naething tae dae onything with — it's like the auld saying, 'onybody can bake if they hae got meal.'

Everytime whin Charlie wid get a bit fractious-kind she wid threaten him with the words, "if ye dinnae behave then I'm gan tae pit ye awa tae Tinkieland."

The wee laddie wis mortally terrified of these words for intae his wee mind he conjured up a mental picture of whit Tinkieland wid be like: he thought of wicked people wha stole awa bairns and mak them intae slaves, and that they wid be whipped and leathered if they made the least mistake. The wee laddie wid cower at the words and wid behave himself.

There came an awfy bad time for Lottie with her health, and she contracted the rat disease, and nearly snuffed it. She hid tae gang tae the city hospital for a guid few weeks. The cratur wis worried tae death aboot her wee laddie, and she hid tae get somebody tae look aifter him while she wis intae the hospital. She minded ontae a woman wha bade at Canal Road, wha very often felt sorry for her and she wid many a time slip her a copper, so Lottie sent Charlie tae get this woman. The woman felt awfy sorry for Lottie and she agreed tae tak wee Charlie for a while. She telt Lottie that she and her man and her family aye wint awa for a gey few weeks intae the summer, and she wid tak the wee laddie with her so that wid mak sure that Lottie wid be recovered by the time she came back. Lottie wis very relieved.

The woman took wee Charlie awa with her tae her ain hoose and tae Charlie's surprise, he hid never deeked sic a barry kane afore. This woman hid braw carpets ontae her fleer and the hoose wis like a new preen. Weel, this woman wis very kind tae him and she treated him like een of her ain yins. She bought him a pair of dungerees and gave him a pair of big tackety-boots tae wear. He wint oot tae play with his new brithers and sisters and he loved making the sparks fly with the tackety boots.

Then the faimily left for the country and they hid a great big van, and they hurled wee Charlie oot tae a pairt of the country that wis aa new tae him. His een lit up with delight, and the bairn wis fair enjoying everything that wis happening roon aboot him. At last they stopped near a large fairmie, and aa of the folks came oot of the van. The first thing the folks deen wis tae mak a fire intae the field and they pit a jockey stick intae the fire and the mither started cooking fine habin. He wint with some of the loons wha were collecting coggies of withered broom. Aifter they got their supper, the laddies pit up a couple of tents but the lassies were gan tae be biding inside the van. Wee Charlie wis enthralled at the loons pitchin up the tents cos he hid never bin on a camping holiday afore. In fact he hid never bin on a holiday ever.

He bade up tae aa the hours of the night and he listened tae the folks telling the strangest stories that he ever hid heard. Then whin he wis completely exhausted he retired tae the camp. Yet he couldnae sleep for excitement. The ither lads were still talking, and telling each ither the events of the day; Charlie listened with glee. Then it came doon pourin rain and the pleasant noise of the rain hitting the camp jist added tae his pleasure, he slept that night content as a laird; his belly wis roaring full and he wis snug and warm.

He awoke tae a variety of birds wheetling and a fine breakfast of fried yarrows. He thought this folks must be very rich tae be able tae afford sic a guid holiday. On this very first day, twa of the bigger loons took him with them awa pearl fishing; they showed whar tae deek for the mussel beds and how tae pick them up with the stick, and how tae open them up. Aa the loons could swim like fish, and they taught Charlie how tae swim and aa. It wis the warmest day that he ever could remember, and aathing felt sae far awa frae Cassie End.

Charlie ay wondered whar aboot the gadgies used tae gang tae aa day. He used tae deek them gan awa with an empty van and it aye wis full tae the gunnel of skins, rags, woollens and bits of metal, whin the men took it back. In the evening the men wid start tae separate aa the rags frae the woollens and Charlie aye joined in with the ither loons tae help. It took him a wee while tae ken the difference between the rags frae the woollens but eence he got the gist of it he really enjoyed daeing it. The faither used tae aye slip him a tanner or threepenny bit and he wid gang ower tae the shop and buy something tae taste his mooth.

He wis amazed whin the folk used tae shift their camping places. They wid jist get up in the morning and pack awa everything intae the van, and aff they wid hing avree tae some ither area. He asked the loons why their hantel aye shifted aboot frae place tae place and they telt him that that particular yin wis finished. He couldnae quite understand whit they were on aboot, he jist thought that it wis pairt of a very exciting holiday.

The highlight of it aa wis jist aboot the end of the term whin they moved tae an auld quarry. It wis a huge quarry and there wis many folks there, he never had seen sic an amount of camps at een place. The laddies telt him that they hid met up with a bonnie doze of their relatives. Whit a grand feeling of a great gathering filled the country air. There were a host of different dialects; and Charlie often thought upon the strange language that these folks aye spoke. He wis beginning tae speak many of the words himsel: he wid call loaf *pennan* or *dech*, eggs *yarrows*, milk *yerim*, tea *slab* or *sluchie*, and syrup *gundamir-ando*. He wis fascinated by them. They seemed tae want for naething and they hid sic a closeness with een anither. Charlie wis very happy and content as a wee puddock.

When the auld woman telt Charlie that they were back hame tae Aiberdeen the very next day, the wee laddie felt a bit sorry for he hid enjoyed himsel sae muckle, and he felt awfy close tae his new faimily. He didnae feel great at the thought of gan back hame tae his hoose at Cassie End, for he kent that it wid be back tae hand and mooth and that the hard times wid be back upon him; the only thing he hid ever missed wis his mither. The auld woman hid telt him that his mither wis better again cos een of her lassies wis intae the Toon een day, and she wint roon tae speak with her. Charlie felt guid that his mither wis better.

On that last evening there wis great excitement roon the camps and there were men playing pipes and fiddles and accordians and there seemed tae be a very festive atmosphere. The auld woman telt them aa that there wis gan tae be a great traivellers' ceilidh on that night seeing it wis the last day of the camping time. Charlie didnae ken whit a traivellers' ceilidh wis and he thought that it wis something like an end of the holiday party. Noo the mither gaed him some lowdy tae gan tae the big fairm beyond the smaa village and said that the manishee of the hoose wid gie them milk and cheese and some other things like cakes and biscuits. As they wint through this village there wis a doze of bairns chanting aifter them, "tinkies, tinkies," and Charlie couldnae believe whit he wis hearing. These bairns chased aifter them until they passed right oot of the village again.

On returning back tae the ceilidh Charlie wint right up tae the mither and telt her whit the country kenchins hid bin cawing them.

"Whit a cheek they hid," cried Charlie, "cos ye are very rich people tae afford sic a great holiday and ye hae as much habin that wid feed a regiment. Whit made them think that ye were tinkies?" asked Charlie.

"Weel," cried the auld woman, "we are real Traivellers and tae the country folks wha dinnae ken us, then they caw us tinkies. We are accustomed tae it by now but we dinnae like being cawed that insulting name, but we are real Traivellers and prood of it."

The wee loon stood with his mooth agape intae amazement.

Whin the traivellers got intae the heart of the ceilidh he loved everything aboot it but whin the real maister story-tellers took their places roon aboot the campfire then he truly wint intae a trance with them. They could hud onybody spellbound with their magic airt of tales. Charlie wished that the night wid never end.

Intae the morning he wis heavy-hearted cos he hid enjoyed himsel sae much. He hid learned sae muckle things. Noo he could fish and pearl-fish and he could hunt and he felt that he hid grown an awfy bit. He wis nae mair a peelie-wallie cratur cos he hid grown a couple of inches and he hid pit on a guid half-steen.

Aiberdeen deeked a dull sight as he approached it and the Gallowgate with aa its wee shoppies looked sae crowded with sae many hantel walking aboot it. Eventually the folks drapped him aff at Cassie End and he run upstairs tae his mither's hame. Lottie, wha wis noo recovered frae the loochie disease, wis sae glad tae hae wee Charlie back hame. She hid missed him terribly. She couldnae get ower his size and how weel and fit he deeked. His face wis fair filled oot and sae red with aa of the sun that he hid sooked in whilst he wis oot intae the country. He wis a complete picture of health. The lang simmer days oot in the country hid deen him sic guid.

Aifter being hame for a few days, his mither noticed that he wis awfy bold like and that he spent a lot of time roon at the auld woman's hoose. He became a bittie rowdy in the home and Lottie started tae feel annoyed with him. Then at last she got angry with him and she said tae him,

"If ye dinnae behave I'm gan tae send ye tae Tinkieland!"

Wee Charlie deeked up intae his mither's face and he says,

"Please mither, please mither, I'm fair begging ye, please send me back tae Tinkieland!"

Noo Charlie grew up very close with this faimily of traivellers and eventually he grew up and married a bonnie and clever traiveller quine.

He adapted the wyes of the traiveller and he deen very weel for himsel. He owned a big rag store and he hid a few auld cars as weel. Between them twa they hid four laddies and twa lassies and he owned a fine big hoose intae the city. He wis jist anither traiveller as far as maist of the traivellers were concerned.

Noo, aye whin the summer season wis at hand he wid get broody tae get awa intae the country. It wis funny tae think on how the times hid reversed themsels. He looked aifter his mither weel and she wanted for naething. Charlie kent it wis aa due tae the training that he received frae the traiveller folks.

It so happened then, that whin it wis near time tae gang avree tae the country and ony of his kenchins should get a wee bittie oot of hand, he wid threaten them. Only his threat wis that he wid leave them intae the city and he wid gang awa oot camping withoot them. The words that he wid say wis,

"If ye dinnae behave yersels then I'll leave ye here intae *Scaldieland!*"

Aifter I finished the story anither big rough kind of woman shouts up, "I quite believe ye cos een of my loons aye wint oot tae the country with a bunch of traivellers and he loved every minute of it."

That kind of cheered me up a bit. Lollipop says, "There's nae difference in folks. We are aa the same. If we cut weresels then oor bleed aa looks the same." In nae time I seemed tae get the sympathy and support frae aa the ither folks in the fish-hoose and that put Suzie's airse oot the windae.

At least the stories were a great respite frae the complete drudgery of the awfy tusk.

By the end of the night yer body wis crying oot for mercy. Yer hands were aa covered with slime and yer knife wis like an axe.

Tusk started tae become a regular feature intae that place so I kept me een open tae see if there wis ony ither casuals gang aboot Torry.

There were twa fish that I aye tried tae avoid and that wis tusk and red bars. Nevertheless, I spend a lot of extra hours working intae that place. The money wint through me hands like water and it wis spent as quick as I could earn it. Whin ye were finished aifter a night with tusk ye were fair croaked. Ye could weel say that a night with tusk wis fairly a hard task.

EVERYONE

A WITCH

A young loon came intae the place where I worked normally and asked if there were ony sole filleters and if they wanted tae dae a casual for the night. Noo it sae happened that I wis a crack-hand on soles so, needing the money badly, I wint roon tae the place that the loon telt me about.

Never afore hid I seen sic a dark dreary place. Ye could hardly see yer hand in front of ye and there were puddles of water everywhere. What a terrible stoor came aff the drains and they seemed tae be choked up. Coming ower tae the table I asked a smaa man with a moustache if this wis the right place and he telt me it wis. I got a shottie of an apron but I hid me ain fish boots and knives.

I soon settled intae the place and we were cutting fine big saft lemon soles. They were a pleasure tae dae and me knife jist slid through them. I wis getting on fine and getting tae ken abody's name.

Right enough the mannie bought me a pie supper for naething and a fine big mug of tea. The lassies and the twa fellas were rare tae get on with and I was as happy as a puddock in a pond.

Alfter supper we wint back on tae finish aff these big lemon soles. In nae time they were deen and we hid a ten minute smoke break. In fact I thought that aa the soles were finished and wis aboot ready tae pit back on me jacket whin a lorry came in with a gigantic load of witches and megrims. Witches are soles but they are very thin-fleshed. Ye aye hid tae watch yer fingers with witches. Among the soles I prefer witches tae eat. They are an awfy fine fish fried. Megrims have a different type of bone frae the rest of the soles and their flesh tasted jist like whitings.

Somehow, I never liked daeing megrims either. They jist didnae cut sae fine as lemons, halibut or plaice. I liked cuttin dabs and turbot. Soles filleted a different wye frae blocks or singles. Firstly ye took aff the white side and then ye took aff the coloured side. Different filleters did them their ain wyes but I preferred tae dae them the wye Muggie hid taught me. Onywye the boss liked me work alright.

We were gan tae be working tae ten o'clock so I jist started tae get tore in. Soon the monotony set in and I could feel an irritation gan through me soul so I started tae mak some kind of conversation.

A deem says tae me, "Are ye een of the Robertsons frae Sandilands?" and I said "Aye."

"I ken aa yer sisters cos I worked with them in different places. They are aa guid workers. Nina aye telt mi rare stories. She is a very guid sole filleter. She kens a lot of ghost stories. Dae ye tell stories like her?"

"Funny tae mention it cos I wis jist thinking aboot some witchcraft tales with us cutting aa this witches."

Anither quine says "Tell us some stories aboot witches tae pass awa the time."

"Och weel, if that is whit ye want then I'll fairly oblige." So I started tae tell them a story aboot a water witch.

WOOD JENNY AND WAATER WITCH

Terry wis intae his mint whin he managed tae get a braw
watch at sic a good price, for he kent a fairmer-gadgie
wha wis needing een like it. It wis gold-plated and had
roman numerals ontae the face of it. There were twenty-
one jewels inside it, and it kept perfect time.

A wealthy fairmer, who bade the ither side of Banchory
wanted tae get an auld-fashioned fancy pocket-watch, and
he would gie a good asking-price for it as weel. Terry,
who wis camped oot near Cumbas of May, kent he would
score a good profit aff the deal. He didnae hae muckle
lowdy upon him but he had enough money to tak the
train intae Banchory, and aifter the sale he would get a
good reward.

It wis a bonnie Friday morning whin he caught the
train frae Cumbas of May tae Banchory; Terry wis whis-

tling tae himsel as he trodged the lang road frae the toon tae where the fairm wis, aboot twa good mile in aa. Weel, he wisnae very pleased with himself whin the fairmer's wife telt him that her man wis awa tae the mart intae Aiberdeen, and that he widnae be hame taenight. She wisnae in a position tae mak a deal for the watch, as her gadgie wis a strange man whin it came tae buying things. It jist sae happened that Terry couldnae bide in Banchory, cos his wife would get annoyed if he wis awa too lang. He decided tae walk hame the lang trek, cos he didnae really hae enough lowdy left tae tak the train back hame again, but he jist had enough tae buy himself a pie and a bottle of ale. The fella wis hungry. He bought the habin and he walked in the direction back tae the place where he wis camped.

It wis the hottest day he had ever seen and the sweat wis drapping aff him like naething on earth. The fella liked aa the back drove-roads and they were quicker for him, cos he could cross fields and tak aa the short cuts. Weel, he walked alang the road with the sun beating doon merciless upon him, and he walked till he came tae a fine wide clear burn. The crystal-flowing monteclara deeked sae cool and inviting that he stopped at the side of the burn, teen aff his sheen, and dooked his hot tired tramplers intae the cool clear stream.

Och, it wis sae fine, and the waater wis cauld and refreshing. He pit his bottle of ale intae the cauld waater atween twa stanes and left it for aboot twenty minutes, and he teen oot the pie and he ate it, and then washed it doon with the ice-cauld ale. How fine it aa felt! Terry wis sae contented that he pit his jacket under his heid and he lay doon be the side of the river and jist relaxed. He fell intae a very deep slum, and it lasted for hours.

Whin he awoke he wis aa sair with lying in the sun for sic a lang time. His yaks were sae bleary and he felt as if he wis taking the 'flu or bad hay-fever. He washed his face intae the stream tae waken himself up right. Whin he deeked at the road he wis on it looked very misty. As he walked alang the road, the mist turned intae an awfy thick fog; and the longer he trodged, the thicker the fog got, until ye couldnae see yer hand afore yer face; it wis very difficult tae ken where ye were gang. Afore he kent where he wis, he discovered he had walked right intae a thick wood. He kept banging intae trees and faaing aboot aawyes. He stopped eence or twice tae try and get some sort of direction, but it wis tae nae avail cos he didnae ken where he wis gang.

A lang time had passed and he thought that it would be better tae jist hide where he wis until morning, sae that he could get his true bearings. He sat doon in the wood, and he fell asleep again.

This time, whin he woke up he heard a lassie cawing him by name:

"Terry, Terry, awake!"

Terry woke up, and in utter amazement he deeked a maist beautiful girl, dressed intae a bright red robe and flooers intae her hair; she seemed tae hae a very radiant glow coming aff her. Terry asked who she wis but she only replied,

"I live not far from here."

"Maybe ye could help me oot of this wood, then?" asked Terry.

"Oh yes, I shall; and I will take you home to my parents, and they will give you a nice feed."

"Oh, that would be very guid!" cried Terry, "I hope it

widnae be too muckle inconvenience for yer folks?"

"Not at all," she replied.

She led the wye, and strange enough her radiant glow made a bright red light appear in front of her and at the back of her, but there wis nae light at the side of her. Terry followed the lass, and she wint through the wood very sprightly, and Terry taen a stitch in his side trying tae keep up with her.

"Ye will hae tae slow doon a bit, lassie, cos mi side is sae sair noo."

She stopped and Terry asked her,

"How come ye manage tae glow sae much, and see yer wye aboot?"

"Oh, my mother made me this cloak out of a strange material that glows in the dark."

"That is an awfy good material, and I wish I had a jacket made of that stuff!"

"We have not very far to go now until I reach my parent's home" — Terry wis very tired and he stopped eence mair — "but it is a few yards to go," she said.

A sharp stone wint intae Terry's fit, and he roared oot of him and sat doon ontae the fleer of the wood.

"That's it!" he says, "I'm nae gang tae budge until I rest mi feet."

He sits doon for a few minutes, but this racklie keeps pestering him tae hurry. He wis jist gang tae get up again, whin anither voice shouts tae him,

"Didnae dare move!"

When he looked roon tae see where the new voice came frae, there stood afore him anither bonnie young hizzie, and she wis a decked up with a lang green frock, and she had a lightsome green glow radiating aff of her.

"Wha might ye maun be?" asked Terry.

"I am Wood Jenny, and I ken this wood like the back of mi hand, and the wee craturs of the wood telt me that ye were intae a great peril."

"Whit wye would I be intae a great peril?" says Terry.

"Dae ye nae ken who that is that ye are walking with?"

"It's some young lassie who is helping me oot of this dark wood, and she is taking me hame for a bittie of habin."

"Oh," she says, "laddie, laddie — that is a Waater Witch, and she will kill ye the moment she gets ye near her ain watery domain; and *ye* will be the habin she is speaking aboot!"

"Och, dinnae be sae silly," cries Terry, "she's only a young girl who lives near the wood."

"This is me wood," cawed Jenny, "and she has nae business tae be in it. Ye, laddie, must hae wandered intae the in-between world cos this is nae yer time; ye see, there is a time whin the heavens and the earth pass by each ither, and that is the in-between worlds time, and for some unca reason ye hae fell intae it, and until yer ain time comes roon again, then ye are in deepest danger of yer body and soul. Tak my advice, and sleep intae een of the trees, cos they will gie ye my protection against the Waater Witch. She will only hae power ower ye if ye come aff ot the trees."

Waater Witch cries,

"Do not listen to her babblings! She is telling you lies; come with me!"

Terry shouts,

"Awa ye go, the pair of ye! And I think I might jist gang ontae a tree and hae a slum, cos that's the best idea I hae heard taenight!"

He climbs ontae a very wide branch of a big tree, and cuddles doon, leaving the twa strange manishees arguing. He wis sae tired, that he fell intae a deep slum. Eence again, he awoke tae the birds whistling merrily, and he felt really refreshed with his slum ontae the tree. The sun wis shining brightly. He thought upon the night afore and the queer manishees that were arguing; it wis jist a dream, he thought, him being tired frae his lang walking, and getting a bittie sun-stroke, seemed tae offer him the best solution tae whit had happened. Yet whin he wint tae walk awa, jist twa yards in front of him wis a gruesome cleuch and a deep pool of waater intae it. If he hadnae stopped, then he surely would hae crashed tae his death. Perhaps it really was the domain of Waater Witch, and Wood Jenny had saved him frae her clutches.

Terry walked back tae Banchory, and he selt the watch tae the rich fairmer, who wis very pleased and gaed Terry his asking price.

Terry teen the train back tae Cumbas of May, and he walked back tae his camp where his wife Liza wis waiting anxiously for his return. She gaed him tuppence-worth of lip for leaving her hersel aanight. She didnae hae tae worry, cos there were plenty of ither Traivellers camped aside her. Terry tried tae tell her his story, but she thought that he had got drunk with the lowdy intae Banchory, and decided tae bide oot aanight. He telt her, and een or twa ithers, aboot Wood Jenny and Waater Witch but they only laughed, and said that he must of hae bin really peevie tae imagine aa that things.

It wis a shame for him cos aabody wis making a corrach oot of him.

Maisie Morloch wis deeking sternly frae her camp-flap, and she beckoned him ower tae her with a wave of her fammels. He thought that she wis gang tae gie him a telling-aff, as weel.

"Tell mi yer story, laddie, and I will listen tae ye."

Terry proceeded tae tell Maisie his story, and she listened with great intent. Aifter he telt the story she says,

"I believe yer tale, laddie, cos there's mony the time that Wood Jenny his helped mi through the woods whin it is dark, and mony's the time I hae wandered intae the land between and betwixt. Never tell things like that tae unbelievers cos they will think that ye are killiecrankie, but mang only tae them that hae a wee bit of an open mind. Were ye caught up intae a strange thick mist?"

The laddie said, "Aye."

"Weel, dinnae tell naebody aboot it, cos last night wis een of the finest, clear, moonlight nights that has bin for mony a day."

He thanked Maisie for her wisdom and understanding of strange things.

Since that time, Terry his never ever taen short cuts through deep woods, neither would he gang oot at night alane if there wis a strange thick fog doon. He wis careful nae tae get caught up intae the world of neither here nor there....

That story wint doon like a bomb and aabody liked it cos they never heard tales like that before. There wis a bit of a discussion wint on aifter that and we spoke aboot witchcraft and fairies and aa sort of things of the super-natural.

A loon says tae me, "whit is the difference between black magic and white magic?"

"Weel tae tell ye the truth, loon, there's nae aa that muckle difference between them. Usually white magic deals mair with the ancient art of healing and things pertaining tae herbal magic, while the black kind is mair tae the Deil."

"I wish I hid the witchcraft tae mak aa this soles disappear."

"Nae fear of that," cried the gaffer. "Get yer fingers oot and keep the hands going as fast as yer tongues."

Then a bit of silence prevailed ower the place until anither speil of speaking wint on. "Come on Stan. Gie's anither witchy-poo story," says the quine eence mair. Weel, I wint on tae tell them the story of a white witch.

MEGLIN OF THE MOORS

She wis indeed a very strange deeking manishee and she dressed intae the queerest tuggery. Tae some of the country hantel she wis seen as a dumpish culloch but tae the folks that kent her mair she wis classed as a fay. Sae she wis.

Meglin used tae spend her days wandering aboot the moors and hills baith summer and winter. Her highly coloured vardo wis aye spotted upon the roads between the Don and the Dee. Her sheltie seemed tae be as auld as the hills and it wis as gray as onything. She wis an unusual character and she aye wore a lang black woolie frock with a lang, black-streaked coat. She aye hid cocked ontae her heid a funny-looking hat with mair purple feathers than ye wid deek ontae a bird. Aabody at some time in their lives hid seen her and her vardo and sheltie. For some reason, there wis a lot of folk feart of her, cos she wis thought upon as a witch. Oh, she hid the great unknown skills of the herbal magic and she kent an awfy lot of things.

But for her conversation weel, that wis something different again. Meglin talked a lot of jumbled up rubbish tae the country folk. She wid say things like, "pickled trotters are fine for yer belly," or, "jam jars mak bonnie ornaments," and aa kinds of weird sayings. This wis the reason why sae many folks avoided speaking tae her. Some folks thought that she wis a deranged auld cullochan. Yet many folks aye bought her herbal remedies and perfumes that she made. Whit she really wis guid at wis curing sick animals.

Whar aboot she got her cures naebody really kent but she definitely kent the skills of the fay. She had a reputation for appearing at hooses whin the folks within had problems faaing upon them and somehow or ither she wid gie them great relief and comfort. Yet she aye kept hersel tae hersel and she wid employ her time in finding the various roots and herbs that she needed for her work aa the year roon.

Noo there jist happened tae be a young stripling loon wha bade with his mither ontae a weel-thriving fairmie nae that far awa frae Ballater. His name wis Davie and he worked weel for his mither and the laddie hid a great future ahead of him. Een day the loon fell sick and for a whilie the doctors were treating him for colic, but aifter aboot six months he started tae lose weight and he began tae deek very peelie-wallie. Then a lump started tae grow ontae the lower pairt of the loon's belly. He didnae tell his mither aboot it until the lump grew tae the size of a gadgie's fist. The laddie wis taken tae the hospital intae Aiberdeen and they found oot that it wis Big C. There were nae ony miracle cures gan aboot in they days and nae muckle hope for tae gie tae the laddie's mither. She wis beside hersel with grief and aa that she could dae wis tae watch her loon getting thinner and skinnier every day. It wis a real heartbreak tae the mither and naething could gie her ony comfort. The laddie began tae start slipping awa a bittie mair every day.

Aa that his mither could dae wis tae keep him warm and clean. A district nurse came in daily and administered a pain-killing drug tae gie him a bit of ease. The young loon wis suffering a lot of pain. The hospital couldnae dae onything for the loon except fill him with drugs for the pain. His mither wanted her boy tae die at hame beside hersel cos, she widnae manage tae get intae the city aa the time, so that wis the wye the district nurse came in daily. The hale hoose hid a deathly atmosphere and muckle of the time the laddie wis asleep. His weight wis doon tae a rickle of beens and it seemed tae be that he wis at the last of his life.

Aye night whin aabody thought that it wis young Davie's last yin upon the face of the earth, his mither sat ootside upon a rocking chair weeping tae hersel, whin awa intae the distance she could mak oot the strange shape of Meglin of the Moors. It wis the gloaming of late summer's evening and the red sky looked marvellous ower the landscape with the striking shape and form of Meglin of the Moors silhouetted against the scene. Davie's mither felt a strange feeling of wonder come across her. The motley character came walking alang the fields and made her steps taeward the fairmie. Then she come tae the fairmhoose yetts and opened them, and spoke tae the loon's mither.

"It's a fine night for deeking for cowsies, and how is yer loon getting on?" It seemed tae be twa different questions she wis asking and before the mither could answer she turned tae her and said, "the laddie's daeing fine and neen the worse with mysel asking for him."

47

The loon's mither gaed a kind of smile and for a short minute got a respite frae the thing that gnawed at her breast.

"Green pine needle soup is very guid for sick hantel and pickled pigs trotters are a sick treat." On and on she manged tae the loon's mither and she seemed tae be speaking mair gibberish than usual.

She says, "I hae come tae gie yer laddie some things tae mak him better."

Sadly his mither says, "I'm afraid, Meglin, there's nae muckle ye can dae for Davie, and this is the end..."

"Awa an nae be daft," cries Meglin, "Whit dae they doctors ken aboot the herbs, or dae they ever bathe themselves intae a rinning burn? Noo tak mi in tae see the loon, auld wife, and I will cure him of his achings."

The laddie's mither deeked a bit apprehensive and reluctant tae let the auld fay come intae the kane.

"Hae ye no faith at aa woman? Let mi in through the door as the time is near at hand for mi tae dae ony guid."

The loon's mither let the auld fay in tae the hoose and some of the folk that were in there were none too happy aboot this auld Meglin being allowed in tae deek the laddie.

An auld gadgie said, "Whit is that silly auld fool daeing here?"

Meglin retorted, "Whiskery Dick, bolt yer moo or I'll gie ye a dry shave with mi knuckle."

Nae anither single person said onything mair tae her as they were feart at her.

Then the minister came in tae say some prayers ower the laddie, but Meglin roared,

"Get oot of here ye auld hoodie craw, say yer prayers ower the heids of the deid and spare the living."

The minister wis highly offended but the laddie's mither comforted the minister with a cup of tea.

"Please let the auld fay dae whit she seems tae want tae dae as it cannae hurt Davie ony mair than he is."

Davie wis intae a state of unconsciousness and wis oblivious tae whit wis happening.

She says tae the mither, "Mak some cabbage bree and let it keep warm aa of the night."

The mither prepared a cabbage bree. Meglin then started tae cook a weird concoction of aa kinds of roots and poison herbs and it wis like a witch's cauldron brewing. She stirred it for ages and then she let it settle doon. Aifter aboot an hour she pit it intae a deep bowl and she strained it through a muslin cloot. The mixture wis ready. Then the district nurse came in tae the hoose with aa of her drugs tae gie tae the laddie so that he wid die at ease.

The nurse wisnac pleased either at the auld fay being there but the mither said it wis the last night and she could see nae objections tae the auld fay being present.

Then intae the wee smaa hours of the morning the auld fay says,

"It will soon be time tae administer tae the loon cos he will waken up shortly in great pain. Ye see, maist people die between the hours of three and fower and Davie will waken up. Noo it is very important that naebody interferes with mi during this time."

The mither gies full permission for Meglin tae attend tae the laddie.

Jist aifter three o'clock the laddie awakes in great pain and the nurse wis gan tae gie him an injection whin the auld fay steps in front of her,

"Wait until I hae daen me thing."

Meglin taks the bowl of stuff that she concocted and she started tae gie it tae the loon tae drink. Weel, he drunk this stuff and aifter he drunk it he started tae scream in agony.

The nurse gied him the injection but the pain widnae gang awa. There wis a dreadful smell in the room and the nurse telt his mither that it wis his stomach bracking up. It wis very sickening. Then jist whin it looked like the end hid come for the laddie he cried for a bedpan. The nurse thought that it wis everything noo coming oot, and that this wis the end. The nurse pit the pan aneath the loon, and as the laddie lay there as though his last hid come, a hard clatter wis heard. Something very hard hid come oot of the loon and whin the nurse deeked intae the bedpan there wis a hard cancerous knot aboot the size of a man's fist lying intae it.

Then the loon sat up very weakly and said, "The pain is awa, am I deid or am I still in this world?"

"Yes indeed ye're alive, laddie, and the stuff I gaed ye tae tak broke up the knot within ye. Noo, auld mither, wid ye gie yer laddie some of the cabbage bree that ye prepared and nurse him for a hale week with it then gie him plenty of fresh fruit, herbs and things of the earth."

A miracle had occured, but with the use of herbs of the earth which are ordained for the guid of mankind. It's jist a pity that there are only a handfae of folks wha ken the secrets of the herbs and roots.

Auld Meglin of the Moors hid applied her wisdom of the fay in curing Davie. She teen nae lowdy for her work but only a wee bitie of food frae the folks. Whin she refused money frae the folks she telt them that she paid naething for the herbs and there wis nae need for ithers tae pay.

Whin auld Meglin of the Moors trodged awa frae the folk on that night she cured Davie, aa she said tae the mither wis, "Jam jars mak bonnie ornaments and pickled pigs trotters are guid for ye."

Eence again the story wint doon weel.

"That witch wis a guid woman," een of the lassies cried.

"Aye indeed she wis," I retorted.

Then we spoke aboot auld wives tales and different kinds of herbal remedies and we tried tae relate them tae oorsels. Amongst us some folks believed in magic and ithers were agnostics.

A nice looking deem cawed Roslin telt us that she hid a giant fish wart on her hand and that she wint tae see a gypsy and the gypsy telt her tae tak a wee bit of beef and bury it in the gairden. She promised her that whin the beef started tae decay then so wid her wart. Wid ye believe it, it worked. The wart jist began tae rot awa. The loon says, "I think yer brain must hae rotted awa with the beef."

She gaed him a tear of lip but that wis jist the wye of the fish workers. It didnae really mean onything nasty.

The work wis getting deen quite fast and the boxes of soles were gan doon. There wis aboot three boxes left of the megrims tae dae.

The gaffer shouts ower tae me, "I think yer stories are hypnotising aa the workers."

"Aaright then I'll hud mi wheest for a while. I get the message."

The gaffer's wife worked there as weel and whin she noticed the place getting sae quiet she teen the opportunity tae tell her story.

"I believe that there are evil places and evil happenings. Ye see, I hid a boyfriend years ago, and he telt mi that he hid a brush with dire evil whin he wint on a holiday tae Glesga."

I could see that the gaffer's wife hid a bit of traiveller bleed in her cos I kent the wye she wis telling her story. She proceeded tae tell us the story of her auld boyfriend and she cawed it,

A PRESENCE

Jamock wis haeing the time of his life, doon at Glesga and it wis the best holiday he ever hid. Ye see, him and Doddie worked at the ship yairds intae Aiberdeen and every year the twa fellas aye gaed awa taegither. Noo normally they liked tae gang abroad tae Spain or France and hae a right cairry-on but for some reason they didnae hae the lowdy this time, so with the gilt they hid saved up they thought that they wid gang tae Glesga. Weel, at least Glesga wis nae too far awa and the peeve wis muckle better there than it wis abroad. Doddie wis a right slooch and he could drink peeve oot of a jeerie-can, but Jamock wis a bit mair sensible cos he liked tae visit auld castles and tak trips ontae charibangs and see a bittie mair.

It wis while Jamock wis staying at a guid big hotel there, that he hid a strange haunting experience.

The twa fellas hid bin awa aboot ten days and it wis coming near time for them tae gang hame tae Aiberdeen. They met some really fine folk in Glesga and made freens with twa guid-deeking hizzies. It wis a braw holiday and the weather wis very warm. Ye couldnae ask for a better spell of weather. Everything wis gan perfect.

Noo it happened ontae this night that baith of the lads wint their ain wye and they taen the dillies oot tae different places. Jamock wint for a walk with his yin and Doddie as usual wint tae a tavern tae hae a guid peeve with his blonde. That night it began tae darken at the back of nine and a thunder storm deeked as if it wis gan tae start. It so happened that Jamock and his hizzie were walking aroon Glesga whin it started tae smootherick. The dilly, whas name wis Rita, wis beginning tae get wet, and telt Jamock tae tak her hame. Jamock, being a hot-blooded buck, hid different plans in mind and he invited Rita tae come back tae his hotel room for tae hae a cocktail. Rita, wha I suppose wis a bit of a rum yin, agreed tae gang back tae the hotel with him. Noo this wis fair up Jamock's barra and he felt cock sure of himsel, an wis confident of getting his nassums. Weel, fate hid arranged a different kind of evening's entertainment for him. Sometimes we get intae situations that are weel beyond oor control.

When the maist unearthly loud crack of thunder shook mercilessly abeen their heids, Rita nearly jumped oot of her skin, and this wis followed only a couple of seconds later with the worst lightning that ever they beheld. It wis a fearsome experience. Rita cuddled right up tae Jamock and he thought that this wis making his chances better tae get her in the mood and tae feel close tae him.

He wis a wee bit of a chancer and a chairmer and he cuddled her fair close tae his bozie. Tae Rita it wis only fear of the moment but for Jamock it wis the start of something guid. The thunderstorm wis sae bad that many of the lights in the streets wint oot. It wis definitely a bad yin. By the time he got tae the flashy hotel they were baith soaking and drenched tae the skin; anither fine opportunity for Jamock tae tak aff the dilly's tuggery. He rubbed his hands taegither and he smirked tae himsel.

Noo some of the lights in the hotel lobby were gan on and off as weel and the thunderstorm wis walloping and crashing strongly. The storm wis obviously daeing a heap of damage tae the countryside roon aboot whar they wcrc. Weel this hotel hid five, or six floors tae it and there were twa lifts tae use. Rita didnae really want tae use the lift cos she wis a wee bittie claustrophobic and she preferred tae tak the stairs, but Jamock insisted, and as she didnae want tae appear a saftie she wint intae the lift. Noo Jamock's room wis on the top floor so he pressed awa at the button for the desired floor and the lift very slowly started. This lift held ten folks but they were the only twa in it. Then, in between floors fower and five, the electric cut oot! The lift came tae a halt and aa the lights wint oot. It wis a power failure due tae the bad weather conditions. Rita immediately panicked and screamed oot of her and Jamock tried tae reassure her that everything wis aaright. He wisnae feart but she wis petrified and he tried tae cuddle her and keep her frae ony mair panic attacks. Weel she scratched his airms and hands and she wrestled like a mad gorilla with him until she accepted the fact that they were stuck in atween the floors of this flashy hotel. Jamock kept telling her that the lights were gan tae gang on ony second, but they never did.

Panic wis in Rita's heart inside this lift and she couldnae come tae terms with the situation. The mair she struggled in hersel with her fear, the mair Jamock pit his airms aroon her aa the tighter. Finally she calmed doon a wee bit, and Jamock kept patting her on the shooders. Ye could feel the atmosphere of panic inside the lift, and see the blue flashes of the wild lightning and hear the unearthly roars of thunder. Rita screamed oot of her every time the thunder and lightning struck. Then the noise of the storm abated but their predicament wisnae ony better. Jamock wis wondering tae himsel whin the folk of the hotel wis gan tae get them oot of the lift and in fact he wis a wee bittie trash himsel.

As the twa feart folk huddled themsels taegither inside the lift they became very much aware that there wis anither presence inside the lift with them. A foul stoor firstly wint aroond the lift and it wis like auld cloots smoldering roon a camp fire, and Jamock wis flegged it might be the elevator wis maybe catching fire. He tried hard tae keep Rita frae screaming oot of her again. In the pitch dark the smell got worse and, stranger still, wis a weird heavy breathing. "Ach, ach," it sounded.

Rita says, "Dinnae think yersel funny trying tae scare mi cos I'm feart enough."

Then a pair of cauld hands started tae feel Rita's thighs.

"Stop yer cairry-on cos I'm in nae mood with yer stupid palavering and this is nae the time nor place!"

Jamock kent that he wisnae touching the lassie but he didnae want tae tell her that it wisnae him.

Minutes passed and there wis a dirty evil feeling within the darkness of the lift and a sure presence of dire evil. 'Whar did it come frae, or whit wis it?' Jamock thought tae himsel. They were definitely the only twa folks intae the lift. Then Rita started tae struggle again and it teen aa Jamock's strength tae contain her. The feeling wis dreadful and ye could almost imagine some kind of demon intae the lift with them.

Then Jamock felt a pair of lang hairy hands touch his chest and the hands quickly wint up tae his neck and started tae throttle him. He wis trying tae pull the hairy hands frae aff his thrapple.

With aa of his might he started tae struggle with the hairy hands and he felt aa the life bereave him. The lift seemed as if it wis gang aboot a hundred mile an oor and it wis shaking to and fro. Rita wis screaming violently and Jamock wis gasping for breath. The evil power wis too strong for baith of them and Jamock jist thought that his end hid come.

Suddenly the lights came on and the twa folks were baith ower each ither. The folk frae the hotel came in and teen them oot. Rita hid a black and blue yak and her claes were aa torn. Obviously she hid bin assaulted and she wis in an awfy state of mind. Jamock's neck wis aa scratched and he also wis in a terrible state.

Rita screamed oot of her, "He attacked mi inside the lift."

Jamock deeked surprised with her, "Ye ken fine it wisnae me that attacked ye, but it wis the presence in the lift."

Everybody looked inside the lift and there wis nae ither body tae blame for the attack on Rita's person but Jamock. Onywye the police were sent for and Jamock wis charged with assault. Whit a right shaming it wis for him, and his pal Doddie didnae believe him either. Nae maitter how hard he tried tae explain tae Doddie aboot the situation and aboot the evil presence, Doddie widnae believe him at nae price. Jamock wis fined for assault on Rita within the lift and subjecting the lassie tae mental torture and fear. Jamock swore an oath that he never touched the quine but there wisnae ony evidence tae back him up, and Rita accused him as she wis sure it wis him aa the time in the lift.

Een of the skiffies that worked intae the hotel spoke tae Jamock afore he left Glesga. She telt him that she wis eence a time on the lift whin it stuck, and she wis assaulted. There wis nae assailant caught, and she said that there wis naebody in the lift at the time, but only some evil presence. According tae her, there wis eence a mannie wha wis a great whoremaister lived in the hotel but he wis found deid een day. His death wis caused by falling doon the lift shaft. It wis said that he aye smoked foreign cigars and he wis very rich. The skiffie lassie wis the only person that believed Jamock. Frae that time Jamock never ever wint intae a lift again. He aye used the stairs. It shows ye that evil can hairm ye even if ye are completely innocent.

By the time she finished the last of the soles were being cut.

"My, ye are a guid story teller," I says to her.

She laughed and replied "It's in the bleed." I kent weel whit she meant.

Guid money we made that night cos ye aye got mair for soles than for ordinary fish, being a bittie mair skilled. Nae maitter hoo guid a place wis, there wis naething better than tae be gan hame.

A MONK'S TAIL

There wis anither mannie hid a placie nae far frae whar I worked and he aye deen a big order for filleted monks tails. Noo he usually aye kept the same loons for cutting these fish but during a 'flu epidemic baith his loons were aff nae weel, so he asked me tae come roon and help him oot. I wisnae that braw a hand at daeing monks cos I very seldom worked amongst them but I said I wid come roon and gie him a hand.

Monks are ugly looking fish. They mind ye on yon tropical angler fish. A big head like Humpty Dumpty and a cavernous mooth with rows of aa the sharpest teeth ye could ever find. If ye stuck yer hand in the mooth by mistake then the razor sharp teeth jist tore living lumps oot of yer hands. Whit awfy things tae poison yer hands with. The teeth were slanted back intae the mooth and if ye caught yer fingers or hands intae them then ye couldnae get them oot. It wis like being bit by a rattler or some strange snake. So it wis a maitter of being very careful whin ye messed aboot with monks. Even experienced monk filleters hae gied themselves bonnie sair hands with these fish.

Noo, although I wisnae that great a monk cutter, I did ken how ye done them. The body of a monk is very wee in comparison with the swalt napper. Ye hid tae cut aff firstly the big heid and the wee body seemed tae hae layers of slimy membranes aa through it. The skin wis slimy and the hale fish hid a funny texture. Folks said it wis a delicacy but I didnae fancy eating them cos of their scunnering appearance. Sometimes they're selt as scampi. For that they are cut intae wee penny pieces.

Frunkie, frae the place across the road, came intae gie us a hand as weel and he wis nane better than mysel at daeing the monks, but at least we were helping the mannie oot.

The wee bodies of the monks, which ye caw the tails, are firstly filleted and then ye kind of split the fillet so it looked like a finnian, and then sometimes they were smoked or else sent awa as freshlets. The only trouble wis there wis an awfy lot of them tae be deen and it teen us a lang time tae get through them.

If the mannie's usual boys hid bin in then they were crack hands at their jobs but Frunkie and me plodded on. We baith started tae speak aboot the names of the different kinds of fish ye get. We wondered how they got sic strange names. There were coley, saith, megrims, laithe, cats, dogs, witches, dabs, flounders, skate, cod, ling, whitings, haddocks, herrings, mackerel, gowdies, bars, dovers, breem, trout, salmon and hundreds of ither species. Yet the fish we were cutting were cawed monks. Noo with us speaking aboot monks we started tae speak aboot religion. Frunkie and me hid baith very different ideas aboot religion but I wisnae gan tae get intae ony arguments aboot religion or ye wid never get oot of it. Wid ye believe it. Fa dae ye think came intae the door but auld Fanny. She wis coming doon tae dae some pickling of wee whiting cutlets which hid been sent roon by anither boss, cos his place wis chockablock as weel.

"My goodness Fanny, yer nae still working at nights?"

I cried oot tae her.

"Faith, aye!" she cried. "I'm nae ower auld tae gang oot tae pasture yet!"

Fine weel did I ken that she wis aboot eighty. She didnae look that age for she wis a hardy auld culloch, but whit a grafter. I often wished that I hid half of her energy. Never mind it wis fine tae see her again cos I hid worked many nights with that auld wifie.

Fanny joined in oor conversation aboot religion and things pertaining tae churches.

Jist as we were speaking a laddie popped his heid in looking for the boss but we telt him he wis awa and that he widnae be back until aboot ten at night. The fella, wha wis a right hardy-looking boy says, "Tell him that Andy called by, and that I'll come back in the morning tae see aboot the job he wis offering mi." Then he wint awa.

Frunkie says tae us, "See that loon, weel he jist newly finished a three year sentence in prison. I dinnae ken whit it wis he daen, but it must be bad enough for tae get aa that time. I widnae feel safe working with an ex-convict cos ye wid never ken whin ye might end up with nine inches of steel in yer back!"

"Dinnae speak rubbish!" I replied. "Why wid the fella bother onybody. He is nae that auld. Probably got himsel intae trouble as a loon and he's got the dunt."

Auld Fanny blurted in, "Ye shouldnae condemn a person cos they hae bin in the nick, cos sometimes circumstances gets folks put ower the water."

Frunkie replied, "If ye are nae with the craws then ye winnae get shot."

"Rubbish," cried Fanny. "I kent a loon wha got the wrang end of the stick every time; and eence he got the name for being a bad een then his reputation preceded him everywhere he wint."

She then wint on tae tell us the story of Stony.

THE JAIL BIRD

Since the time he wis a wee laddie Stony wis forever in trouble. He couldnae help it and I suppose it wis mair or less the environment he wis brought up in that made him the wye he wis. Ye see, jist afore the second world war times were awfie difficult for folks and aabody wis still suffering frae the effects of the Great Depression. Very few folks hid lowdy intae their pooches and that made a lot of people turn tae crime as a means of getting by. If ye got awa with cheating then ye were aaright but if ye were silly enough tae get caught then ye wid hae tae pay the penalty.

In the case of Stony, his mither wis a drunkard and his faither wis a pure guffie and mony's the battering Stony wid get frae his faither. Noo his mither wis aye that peevie that she wisnae aware of the ills of her wee laddie. Stony started his life of crime frae an early age with stealing little things like sweeties oot of shoppies, and things aff the stallies intae the mairkets.

Whin he wis twelve Stony and three ither loons got pit tae a remand home for a year and that made him come oot a wee hardened bachle. He wisnae big in stature, but he wis a gallus wee gadgie and he wid fecht with his shadow. By the time he wis sixteen he wis living a life of crime and he wis never oot of the juvenile courts. His mither died with aa her peeving whin he wis seventeen, and there wisnae onybody wha wanted tae ken aboot him. Folks were really scared whin he walked aboot the toon of Dundee.

He wis a very smairt laddie cos he wid plan jobs and then cairry them oot and he never got caught. The sad thing for which he did get caught, and done for, wis giving his faither a right sair layin-on. His faither made a darriach at him een night and Stony jist gaed him laldy. He kicked him sae saft that he pit his faither intae the hospital for three weeks. The swine deserved whit he got, cos that wis naething compared with the tunkins he hid gaed tae Stony. In court Stony wis cawed a wretch and a danger tae guid society, and he wis pit intae prison for a year. Mind ye, his faither cliped tae the homies, and Stony got deen for a lot of things. That wis his first real time ower the waater but it wisnae his last.

Aye, Stony wis tae experience a lot of prison life. Every

time he came oot of een nick he wis back again a few weeks later on ither charges. The police kent him and whin onything wis wrang it wis sure tae be pinned ontae Stony. He wisnae a guid person but he wisnae aye tae blame every time. There were times whin he wis completely innocent. Many a hiding he got frae the hornies whin they wid lift him aff the street drunk. It wis jist like this — he hid a label ontae him and he became the scapegoat for everything.

By the time he wis twenty-four, Stony hid spent almost seven years intae the prison. In between that times he got hitched tae a very bold, brazen hizzie wha cairried on with gadgies whinever he wis awa onywye. She hid one bairnie but Stony hardly ever saw it. It wis a wee lassie. Stony loved his bairnie but its mither poisoned her mind against him.

Stony became very bitter and hardened against everybody. If folks showed him kindness he wis apprehensive aboot them and he thought folks aye hid an ulterior motive for daeing a guid turn. A lot of anger wis raging inside him. These feelings were bad and festering in his soul. There seemed tae be nae escape frae this life of imprisonment.

Then aboot ten weeks afore his twenty-fifth birthday Stony wint tae the prison library and he teen oot a book aboot a fella wha wis a gypsy — and it wis tae hae an everlasting effect on him. The story wis aboot a gypsy laddie wha hid a very difficult time as a wee loon, but as he grew aulder this young fella turned tae be a great preacher. Somehow this book touched Stony's heart and he could identify many traits of the young gypsy laddie's tae his ain young life. He admired whit the young gypsy hid accomplished and the book seemed tae hae a calming influence upon him. Firstly, he wanted tae ken whit made the young gypsy fella change frae haeing an empty life tae a life of fulfillment. It brought tears tae the yaks of Stony wha wis noo a very hardened person. Yet this book made him decide that he wanted oot of prison and dae something useful with his life.

Stony decided that he wid reform himsel for the sake of his wee lassie, but firstly he needed tae prove tae the prison that he could be a changed person. Whin at first he tried being quiet the screws were very careful, cos they thought that he wis planning something coorse, but aifter a while they could deek a change of heart within Stony. Een night aifter listening tae the chaplain gieing a talk, Stony decided tae read the Bible and tae fin oot for himsel whit it wis that the young gypsy and the chaplain hid found. He teen a Bible oot of the library. He hid never read the Bible afore and tae him it wis jist a load of rubbish. He started tae read the new Testament and while he read aboot the life of Jesus a warm sensation came ower his soul. This wis a new experience for him. A spiritual conversion wis taking place on Stony.

Then, aye night, he awoke aifter haeing a very beautiful dream whar he dreamt that he saw the Lord with his airms ootstretched and beckoning him towards him. He felt a great surge of love that wis new tae him. It wis like the love that he felt for his wee lassie. This experience wis a spiritual witness tae him and he couldnae hud back the tears. This new warmth of feeling made Stony tak a new course.

Whin he wis released frae the prison he decided tae mak a new life for himsel. He wint back tae his wife but she wis shacking up with anither gadgie, and she widnae let him near the wee quinie. Stony wis heart-broken but somehow he accepted it withoot ony struggle or madness. Before, he wid hae killed the bloke and battered her tae pulp. She wis ready tae get the police but as he walked awa quietly frae the hoose he couldnae be charged again. Yet een of the policemen met him in the street and wis very cheeky tae him. He wis trying tae provoke Stony by gieing him a dreadful tear of lip. Stony wis aware noo that the least thing he did wid be fairly for this gadgie, so he remained silent. He kent that they wid hae hit him.

This hornie said tae Stony, "We will soon get ye back inside again."

That wis enough tae mak Stony move awa frae Dundee and start afresh intae anither toon whar he widnae be recognised.

Weel, the fella moved up tae Fraserburgh tae mak a start with the new happy life that he had found. It wis hard at first, but Stony never looked back tae his days of crime. As naebody kent him there in the Broch he wis able tae get a decent job and he worked hard and honestly tae earn his keep. The lady wha he bade with thought the world of him, and he wis guid tae her in return. This woman attended een of the kirks intae the toon; Stony aye wint with her, and wis happy living in Fraserburgh.

Things were gan fine until een day he wis walking hame frae his work and, wid ye believe it, that same mean policeman frae Dundee wis moved tae Fraserburgh.

"So here's whar ye hiv wint tae, Stony, weel I will soon catch up with ye and pit ye inside again and I will easily plant evidence against ye."

Stony turned white. He kent he wid hae tae leave this place whar he wis sae happy. The lady whar he bade with wis very disappointed at him leaving. He telt her the truth aboot himsel but he telt her that Jesus hid changed his life and noo all he wanted wis tae live a peaceful life, tae work for his keep and pay money for his young daughter. The lady wis shocked, but she knew him tae be a nice fella.

"Dear laddie, ye winnae be able tae rin awa frae yer past life forever."

Stony wis very sad but he telt the lady that he must go awa or this hornie wid dae him a deprivation. So he moved intae Aiberdeen.

Aifter settling doon tae a new life intae Aiberdeen, Stony wis happy again. He joined a church and he worked very hard intae it. He wis liked and respected. He kept his past a secret. He didnae want folks tae find oot aboot his seven years in prison. Aifter a time Stony wis chosen tae be an elder of the Kirk. Two great emotions ran through him. Een wis of deception and the ither wis for joy. Could he be honest and tell the church dignitaries aboot his past life and wid it mak a difference tae them? He felt that he wid hae tae be honest above all things. He decided tae come clean.

The Bishop interviewed him and he telt the truth aboot himsel and his past life and how the influence of the young gypsy hid turned his life tae Christ. He wanted tae be fully converted. The Bishop, wha wis a wise and sensible man, listened and he said, "You have worked very hard in the service of this church and community. We are all very impressed with your honesty and sincerity. We prayed for weeks before asking you to be an elder. If you have truly repented of your past life then that is acceptable to us."

"I have never in these last few years done anything that is contrary to the laws of the gospel, and I have tried very hard to live the commandments. I am striving tae make up for those stupid years."

A new life did arise for Stony. He married a guid-living girl and they had a wonderful family, and whin his eldest girl became old enough to understand, she came to live with him and his wife, who showed her much love.

He became a successful graphic artist and he never looked back again.

"Let mi tell ye that that wis a true story and I can get the fella doon here tae prove it," cried Fanny.

"That fella is a man of great worth," I replied. I could aawyes admire a person wha came oot of a scrape and still be the victor even though the world wint against him.

"I dinnae believe in aa the crap aboot religion," shouted Frunkie in an irritating wye. Right enough he wis entitled tae his ain opinion but sae wis I. I wis very religious mysel and I wis brought up never tae tak the Lord's name in vain.

At least auld Fanny thought the same wye as me and we baith wid gie folks a chance tae prove themselves.

"Tell us a creepy story, Stanley, sae it will mak the rest of the night spin by," says Frunkie.

"OK," I says, so I telt them the story of the Eye Opener.

THE EYE OPENER

She wis deeking for a gadgie for hersel so she aye dolled hersel up tae the naggings and deen an awfy lot of flourishing aboot. It wis less than a year that she wis left a widow and she did hae three laddies and twa lassies tae look aifter. Maria wis a very rough woman and she could fight like a man. Her tongue wis onything but delicate and she wid gie lip tae her grannie. The vardo that she owned wis a showpiece. She aye liked aa of her ornaments and she wis a clean woman. Only her temper wis very bad and sometimes she wid gang intae a mad mollie tantrum and split ye open with onything that wis near at hand. Her bairns were as wild-natured as she wis, and often she leathered them with a birken rod, and whin she did she gaed them laldy. They wid mak aff for their bare death and life whin she taen a mad mollie. They aa kent whit she wis like. Yet on the ither hand, whin it came tae the gadgies, she could be sae sweet tae chairm the birds aff the trees. She could get weel by with her looks, cos she wis a braw deeking hizzie.

Right enough, the woman wis gan through a bad patch and didnae hae muckle lowdy at the time, so she hid tae try and feed her bairnies as best as she could.

Noo she hid got a big thundering piggy jar of home-made raspberry jam and it seemed tae be lasting for ages. Every night whin the laddies wid ask whit wis for supper she aye brought oot the big jar of jam. The kenchins were fair sick tae death of this awfy jam. They got it for breakfast, dinner and supper. Loaf and jam seemed tae be the only thing that they got tae have. They were starting tae mumble against their mither aboot this jar of jam. Maria widnae hae nae nonsense frae neen of them. In a fearsome growl she wid reply,

"Ye're lucky tae get it and if ye're nae pleased ye can gang tae the hungry midden, or hing yer heid abeen it."

She didnae seem tae hae ony gentle or kindly streak within her towards her bairns. In front of ither folk and especially gadgies, she aye deeked weel and proper and gaed the impression that she hid plenty of everything.

Then came the fateful day for her son Struan wha wis as lood-moothed as his mither. It sae happened that Maria hid invited a single traiveller gadgie ower for a bittie of supper and she wint intae toon and bought a fine bite of kitchen tae cook for this gadgie.

The bairns were aa delighted cos they thought that at last their mither hid cooked something fine for a change. The finest savour wis reeking roon the camp and this bonnie bit of meat wis fair mooth-slavering. Then she took oot her best embroidered linen tablecloth and her table frae oot of the vardo cos it wis sic a braw night that she wis gang tae mak a show with her meal in front of the ither folk. Oh me, she set the table sae bonnie, aye and her dishes were sparklin. Everything wis set oot with aa the fancy foldirols. Fit the bairns didnae ken wis that the food wis only for her and this gadgie as this wis aa a show cos she wis aifter the gadgie tae wed her. Maria kent weel whit she wis daeing. The bairnies behaved themsels as weel cos they kent that their mither wid hae killed them stone deid if they dare muck up her plans.

Then she cawed them ower for their supper and the bairns' een were fair oot of their heid at the thought of this fine food. She filled the gadgies's plate with the best of habin until it wis hanging ower the side, and she pit oot her ain. Noo as there were only two stools tae sit on, the bairnies came aroon the table. Then, tae their utter scunner and great disappointment, oot came the big thundering jar of jam and a bit of stale lump of bread. She started tae spread the pieces of jam and as the bairns took the bread their wee moys deeked sae woeful. Struan didnae think that it wis fair that a strange gadgie wis getting this great feast while they were gettin pennan and jam.

Whin Struan teen the piece frae his mither he screamed oot holy blue murder and he threw the piece awa. The ither bairns run for their lives cos they kent that their mither wid gang intae ten mad mollie fits of rage. There jist happened tae be a very large black kettle hinging upon the jockey stick on top of the fire. The water inside it wis scalding hot.

Maria picked up the steaming kettle and gan stone horn mad she threw it fair at the face of the laddie. She threw it with sic muckle force that the stroop of the boiling kettle imbedded itsel right intae the wee laddie's foreheid. It stuck aboot an inch intae his foreheid, and the boiling water poured intae the wound. As Maria went completely beserk, the gadgie jumped up tae attend tae the laddie. He hid tae physically pull the boiling kettle oot of the laddie's foreheid cos it hid stuck intae the heid. Wee Struan had fallen as if deid, and it took a guid quarter of an hour tae get him conscious again. Whit a pain the wee laddie wis in. Some of the ither traiveller women dressed the wound and they gave Maria a right telling aff, but she wis as mad as a hatter so the damage she hid deen didnae sink intae her mind.

Struan's heid wis sae sair for days aifter it and in fact he should hae bin taken tae the hospital, but Maria kent that the authorities might gie her the jail for whit she hid deen, so she didnae bother.

Een auld speywife dressed the wound every day. The laddie could hardly stand the pain and he wid jist lie by the riverside and greet. He couldnae see right, for the wound hid swollen up and oot ower the laddie's yaks and he wis in a bad predicament. Everything tae Struan noo wis red. Whither it wis bleed gan intae his yaks or the bruise being sae swollen that brought this condition intae him, he wis a bittie trash at seeing aathing red tae begin with. For aboot twa weeks he wint tae the auld speywife tae get a fresh cloot on it and it wis starting tae heal. He telt the auld woman aboot aye deeking aathing red, but she telt him it wis alright and that the wound wis healing.

Aboot a month later he took an awfy painful throbbing heidache and he wint for a walk doon the river tae try and ease the pain. He pit wet cloots ontae whar the wound wis healing and he kept pitting the cloot intae the river and dabbing intae his brew, but it seemed tae nae avail. Then the maist awfy loud explosion seemed tae gang aff intae his heid that he fell doon, thinking that his brainbox hid blawn up. He felt that his end hae come. He fell intae a deep secluded slum.

The chirping of the birds awoke him and as he opened his yaks, a multitude of strange colours appeared before him. Sic bonnie colours that he never deeked afore intae his life. As he walked hame everything aboot him hid a glow aboon it. Apart frae their natural colours there seemed tae be ither colours aroon them as weel. There were many shades, tinges, tones and hues everywhere aboot him. Whin he came back intae the camping ground he noticed that every person there hid different glows and colours coming aff them like steam. Each person gaed oot a different kind of glow. Struan wis completely amazed by this strange experience. He thought that it must be the effect of the wound that his mither hid inflicted upon him. He didnae ken how tae handle this, so he wint tae see the auld spey-wife. He telt her aboot aa the strange colours that he wis seeing everywhere. Aifter the auld spey-wife hid examined the wound she spake tae him.

"By a pure fluke yer mither his opened up yer inner eye. Noo ye hae the gift of the foresight. Dinnae be afraid of the glows that ye deek coming aff ither hantel, cos whit ye are deeking is jist their auras or inner person-alities.

"Aa ye need tae ken noo is how tae distinguish whit they mean. I too hae the special gift of the foresight and I ken as weel whit the colours mean and how tae interpret the dreams and visions that ye will get.

"Only ye see, my inner yak wis opened differently frae yours. I wis trained by mi great grannie fin I wis a wee bairnie, and by the time I wis ten I could understand mony things.

"That's the gift that everybody speaks aboot whin they speak aboot the foresight or the inner yak. I will train ye noo how tae understand it and how tae use the gift. This gift is nae tae be used for evil or for gain, but it is only tae help or enlighten ither folks."

As the years passed by he got tae ken the meaning of aa the colours. He kent nae tae gang near folks with the black or grey aura, cos they were evil and wid dae ye hairm. Red or scarlet colours were folks wha were angry or hud ye a grudge. The purples and light blues were happy, content folks, while the yellows were very trustworthy and gentle folks. The people with white auras were pure hearted hantel and they wid never dae ye a wrang turn, but folks with deep green were very jealous people. Silver and gold were the highest order. Silver aura folks wid aye help ye and the golden auras were very special people wha hid the gift as weel. He noticed that the auld spey-wife aye hid a gold aura.

With this gift, Struan aye managed tae avoid trouble with folks. He kent whin tae gang or bing avree and he could even chairm the animals cos they too hid different colours emitting frae them. He learned how tae control the gift and how tae help ithers. His temperament changed and he became very placid natured and folk frae miles aroon wid come tae him with aa their problems, and he wid try tae help them come tae terms with situations.

There are many of the Traivellers that hae this gift and some dinnae recognise it as such, while ithers abuse it by taking money frae folks tae further their ain ends, but Struan did ken how tae use it; and frae this inner eye he gained much wisdom and knowledge.

Even tae this day Struan still retains that great gift and uses it tae the guid of his fellow man. The gift wis instilled intae him by a cruel mither's accident and nae by the natural order of things; yet his inner eye wis opened and it his bin a blessing tae him and also tae ithers.

The next time ye hear ither hantel saying, "I got a real eye opener," then remember whit it really stems frae! We aa hae the inner yak within us, but only few folks hae that inner or middle eye opened.

"Whit a queer story that wis."

"It wis mair like a religious story than a creepy een," sneered Frunkie.

"Stop being sic a haemmoroid," shouted Fanny.

"Fit's a haemmoroid?" asked Frunkie.

"A right pain up the airse," she replied.

"Fit a charming auld cow she is," says Frunkie tae me.

"She is a super auld woman if ye really get tae ken her," I said. I liked the auld woman and I widnae hear a wrang word spoken aboot her.

At lang last the monks' tails were finished and aifter cleaning up the fish-hoose we aa wint hame tae oor kips.

FIGHTING
WHITING

Een day there wis a lot of fish in the mairket but the boss, through some daft oversight, didnae buy enough fish tae keep us gan lang enough. Nae that I wis worrying mysel cos it meant that we aa finished up early. Decky came roon frae speaking tae a fish merchant wha hid a load of wee scabby whiting, and he wis looking for cutters. Noo Decky wint roon as a finner and I wint roon as a filleter. It wisnae a big place but it wis very clean. The man seemed like a gentlemen and he made us feel at hame right awa.

There were twa finning machines and Decky wint on tae een and a fella cawed Mucky wint on tae the ither machine. Noo we were aa getting on fine with oor work and everything seemed honkydoorie. Weel, that wis until the driver came in. It wis during the supper break, and the man hid gaed us a full half hour tae eat oor chips before continuing with the work. I hated daeing wee scabby whitings cos that wis a pure drag but at least the company wis fine.

An auld *Daily Record* wis lying on top of the bucket so I picked it up and started tae dae the crossword cos I like daeing puzzles and things like that. Mucky, wha already worked intae this place started tae gie me a hand with the crossword. We were baith enjoying oorsels. In nae time the crossword wis finished. In came the driver.

He wis a tall fair-heided guy and quite a handsome fella but whit a pure guffie he wis. Straight awa he started finding fault with the new folks working there. I felt a bit shan getting hinted at. Decky got red under the collar. Weel I wisnae gan tae let the bachle get ony rise for rowing with me. Then he started tae shout aboot somebody stealing his paper.

I said, "I am very sorry but I thought that it wis an auld paper with it being on the bucket."

He gaed me dog's abuse and he ranted and raved. "I'll buy ye a new paper," I said but the gilpin widnae tak nae form of apology.

Mucky piped up with, "The fella never stole yer paper, I said it wis aa right for him tae tak it. Whit a fuss ower a smelly newspaper!"

"It's the principle of the thing. Ye hae deen me crossword and I jist buy it tae dae the crossword!"

Weel, he ranted and raved and he flucheled and fluched until I felt the birse rinning up my spine and then with my bleed pressure gan sky high, I shouted ower tae him,

"Ye are the biggest radge that I hae ever seen in me life!"

The place turned quiet. He puffed up his chest and with a cocky defiant air aboot him says,

"Wid ye like tae caw me a radge ootside?"

The napper exploded and I jumped roon and squared him up face tae face and I said,

"Fool! Ye are a big radge inside and an even bigger dumpish radge on the ootside!"

The boy wint scarlet cos he didnae think that I wid explode and he didnae ken that underneath my very quiet exterior there wis a pure madcap waiting tae escape. He didnae say nae mair whin he saw that I wisnae gan tae tak his lip.

Leaving me he turned tae Decky and looked ower but Decky says, "I'll kill ye whar ye stand if ye bother me."

Lastly, he picked on Mucky. Mucky wis as hard as nails and muscles like a rhino. It wis a shame cos Mucky hid a big boil on his bum and he could hardly walk with the pain, withoot needing this fool screaming like a demented banshee. Mucky lost his rag and in seconds the twa lads grabbed een anither by the throats. Weel, I thought it wis gan tae be a John Wayne versus Victor McLaughlin frae *The Quiet Man*. Then, whit followed wis the maist pathetic fecht I hae ever seen. Jist whin ye thought bleed and snotters wis gan tae flow, the driver says tae Mucky in a loud voice, "Can I get a fag frae ye?"

Tae which Mucky replied, "There's een in ma pocket."

Then the driver put his hands intae Mucky's pooch and teen a fag oot and lit it. "I'm awfy sorry Mucky. It's jist that I'm very nervous the day. The boss widnae let me hame early. I read the paper and I threw it awa lang ago."

Next he appeared tae me and he apologised for being lippie. Shortly everything cooled doon, and the end of the excitement wis ower. A bittie excitement got the adrenalin going and we stuck aa oor energies intae the wee whitings.

Later on I started tae tell me stories, cos tedium wis the order of the day.

THE GOSSIP

Fine dae I remember yon auld wifie wha sat aa day looking oot of her windae taking everything in. Naething slipped past her awesome een. She kent aathing that wint on in the village and I'm sure she must hae bin a prophetess as weel, cos she seemed tae aye ken whit wis gan tae happen.

With her hoose being aptly situated jist in front of the village green she wis in a fine position tae see aabody passing by. Sitting cochted with her worsted plaidie aroon her neck, she wid take notice of the slightest thing. Pity help the postie if he wis five minutes late; she thought naething of gieing him a roasting. A tongue as shairp as a shearer's scythe, she could fairly cut folk tae the quick. If she wanted tae ken whit wis gan on she simply jist grilled ony peer soul wha crossed her wye.

Mind ye, she thought hersel a paragon of virtue and aabody else some kind of lesser being. That twa lumps that grew upon her back like twin mealliepokes she fair convinced hersel wis a pair of wings sprooting oot of her shooders; perhaps they gaed her a bittie pain, but nae as muckle as the pain she caused ither folk.

Maistly her problem wis that she couldnae hud her wheest. The big skate mooth of Muggie Skinner couldnae hud still for jist a jiffie. Nae, nae, she aye let her mooth open and her belly rumble. Mony's the barney I hae seen cos she telt folks whit ithers wis supposed tae say aboot them. She hid the minister's lady-wife and the Dominie's sister at loggerheids with een anither, and whit a stoor wis kicked up. Noo the Dominie's sister wis supposed tae hae bade oot aa night with Johnnie Christie, the reid-heided chiel frae Loanbank, and of course he wis een of the minister's special Sunday School pupils. The minister's wife aye gade him tuition for tae get him a better job intae Aiberdeen. Things were gang idling ower for the loon until skate-mooth Muggie Skinner telt the minister that she hid personally spied them coming hame in the wee smaa hours of the morning.

It got the loon in quite a stoor with the minister and his wife and the peer Dominie's sister got a right bullocking frae her brither, wha even threatened tae pit her oot of the hoose. Peer quine, she wint through a bad time for ages aifter the incident. Yet she aye claimed she wis oot for an early morning jaunt and happened tae meet up with Johnnie Christie on her wye hame. The twa got blethering and trodged hame taegither. Muggie Skinner jalloosed that something improper wis at hand and she cliped on them and whin she got a story ye could be assured that it wid become a fairly amongst the folks of the village.

Whit I never could understand wis naebody ever thought bad aboot her. She seemed tae get believed everytime and the peer victim of her gossip got the hard end of the stick. Folks believed her cos she never missed gan tae the kirk on Sunday. Dressed oot in a green-speckled coat half doon tae her feet and a queer-looking kind of tammy that looked mair like a green beret, she wid strut intae the kirk as if she wis the maist important

thing on twa feet. Muggie Skinner made an awfy flourish-
ing whin she sat doon. It wis aye known whin she arrived
cos a kind of silence fell upon everybody else wha were
inside the kirk. Dare ye tak her seat, why ye wid hae got
yer heid tae play with. A bundle of wee bookies aye fell
on her lap; there were New Testament, a prayer book, a
Francis Gay Veresht book, and wee Christian bits and
pieces. Tae see her ye wid hae thought that she wis a
fine wifie but truthfully she wis a guid skelp of a hypocrite.
She looked the pairt but somewhere alang the wye she
kind of got lost.

Her tongue could gang like the clappers and she could
speak tae a band playing. Perhaps her favourite saying
wis,

"Noo ye ken I'm nae in the habit of speaking ill aboot
onybody but I feel folks should ken the truth."

Muggie Skinner widnae ken the truth though it danced
naked in front of her. It wis jist the wye she wis and
miscawing folks and blighting their name wis like a 'God
bless ye' tae her. Little did she ken the awfy cairry-ons
she seemed tae cause. If she heard something or seen
onything different then she wint intae a blicker tae clipe
it tae somebody else.

Doris McNee wis a bad auld deem as weel and that wis
Muggie Skinner's pal. Onything oot of place Muggie aye
telt Doris, and atween the twa of them, my goodness,
they were worse than the *News of the World*.

I'll never forget the day the auld beesom caught me
smoking at the back of the pub: me and twa ither loons
frae the village were jist up tae high jinks and we thought
it wid be great fun tae try a few puffs of a fag. There wis
only een fag atween the lot of us. Noo it sae happened
that it wis my turn tae tak a puff whin wid ye believe it,
I wis caught reid-handed by Muggie Skinner. Of aa folks

tae catch ye! Ither folks wid hae gied ye a row or maybe a warning or at the very maist a clout in the lug. With Muggie Skinner ye got the hale treatment tae mak sure ye never deen it again. Whit a hard strapping I got frae the Dominie. His scud came across me peer hands six times. The tears came doon me cheeks and I wint awa tae the woods tae greet tae mysel. Coorse auld wifie that she wis. When I seen the ither laddies they telt me that they also got the scud frae the Dominie cos Muggie Skinner cliped on them as weel. The next time I saw her I wint tae avoid her but she said tae me,

"Een day ye will thank me for keeping ye on the stracht and narrow."

She hid the impudence tae smile tae me as if she hid deen me a favour. If ever there wis a selfish auld midden of a wifie then she wid hae won the biscuit.

Mind ye, I have tae gie honour where honour's due, cos at the time of the 'flu epidemic, and me mither and aa the wee yins were kipped up with fever, yes, she did come through for us. Nearly everybody in the village taen this terrible 'flu, but she didnae. Sometimes I wid think tae mysel, 'the auld Diel is kind tae his ain,' cos she seemed tae be as hard as nails. Whit she made ye tak wis brose, and it wis horrible, and cabbage bree. She swore by this cabbage bree but it wisnae her wha hid tae tak it. The doctor gaed us a medicine and some pills but she widnae allow us tae tak them. She kent best. Peasmeal brose, cabbage bree, gruel, toddies, and funny strange herbal concoctions that she made up frae some auld witch's book I think. Mind ye, it wis horrible tae tak, but she cured aa of us quicker than ony of the rest of the villagers wha teen that awfy 'flu. Sae for that incident I hae tae thank her for. During that epidemic she helped a lot of folks especially them with bairnies.

A day came whin she taen nae well and the doctor said that she hid tae bide in bed for twa weeks. Ma mither sent me doon tae help her oot. Imagine whit a shaming it wis for me, a loon of nearly thirteen: I wis mair shamed of my pals kenning that I wis playing howdie for Muggie Skinner, the Village Gossip; I wid never hae lived it doon! Well, she sent me tae shops and ower tae get eggs frae some queer auld wifie she kent, and the eggs hid tae be broon yins. Every item she bought she got them frae different folks. If ye taen something back frae the wrang shop, or body, well she squealed at ye like a banshee. Sometimes I felt she wis raivelled and demented. Never a thank-you passed her muckle mooth, only a scowl tae pit the fear of death intae ye. Luckily enough her ain pal Doris came in each aifterneen tae let me awa, sae that I could catch up with me schooling. Neen of the lads at school kent why I wis never in intae the mornings, and I never speired tae them either; they wid hae cawed me a right Jessie-Ann if they kent.

It wis my thirteenth birthday and I got a fine pair of sturdy bachles frae me mither, and my faither gaed me a bonnie pocket-knife. I wis as content as a wee puddock. Ma mither baked a fine cake and me brithers and sister hid a wee bittie of a party. Everything wis gang fine until I looked oot the windae and I saw Muggie Skinner coming doon the road.

"She winnae be coming tae oor hoose," I said tae mysel, but wid ye believe it, she came walking right intae the hoose withoot as much as a by-yer-leave, and she plunket hersel doon ontae the big airm-chair aside the fire. The music and merriment halted. In fact the hale party grinded tae a halt. That wis it. The party wis noo finished, aa cos this selfish auld woman couldnae thole tae see folks hooching and dancing; every day hid tae be like the Sabbath and only hymns and psalms should be sung. Me heart sunk and I looked intae my mither's een, and with a sad look wint tae mak me wye ben tae me room. Afore I got tae the door her coorse voice shouts,

"Jist whar dae ye think ye are gan, wee mannie? Dae ye nae ken its ill-mainnered tae walk oot on a guest?"

"I beg yer pardon," I said, but under my breath I said 'ye auld bitch.'

"I should think so as weel, young man. Wha dae ye think ye are, gan aboot with airs and graces upon yersel and being rude tae yer elders?"

On and on she prattled like an auld witch. I wished the ground wid open up and swallow me cos I couldnae get awa frae this tongue lashing. At last when she made hersel hoarse bawling at me she stopped. My lugs were fair dirling with her shairp voice; whit a wifie she wis!

Then she caught her second wind and wint noo intae anither bout of squealing at me.

"Noo that ye are quiet I may get a chance tae speak."

What a cheek she hid. Speak, I never opened me gob yet! She wis dacing aa the speaking. Somehow she dressed ye doon in front of abody else in the hoose.

"It is ma thirteenth birthday, dae ye hae tae spoil it for mi? I wis in the middle of a pairty and ye hae come in and gaed me a teer a lip for naething."

"Weel fine dae I ken it is yer thirteenth birthday, and I hae come roon tae gie ye a present."

I couldnae believe it. Me jaws drapped doon with sheer wonder — Muggie Skinner gieing me a present?

Then she taen a bonnie box oot of her basket and she handed it tae me.

"Open it up, balmstick!" she cried.

Ma mither smiled tae me so I carefully opened up the box. Whit a beautiful present she gave me; it wis a gold pocket-watch and a gold chain with many gold chairms on it. I never hid seen sic a bonnie watch before. Me faither's een hung whin he saw this watch. I stood silent for a few minutes.

"Say something, loon."

I didnae ken whit tae say except 'thank-you.'

"Seeing that yer dumbfoonded ye can jist gie me a kiss on the cheek."

The smell of heavy violets and lavender reeked aff her. Whin I looked at her hands they were wrinkled with hard work deen ower aa the years of her life. A tear came tae me ain eye. Slowly I kissed her on the cheek. Her skin wis very soft on her face and she sort of radiated a body warmth. Perhaps underneath this hard exterior there actually wis a real human being underneath.

For the first time in me life I felt a sense of deep burning shame. Here wis me a young fella, thinking only bad thoughts of an auld woman wha noo gaed tae me a priceless watch and chain. It belanged tae her late husband, yet she entrusted it tae me. I wid cherish this watch for as lang as I live. New feelings started tae radiate within me breast, and I think that wis the first day that I grew up. Nae langer wid I be feart at Muggie Skinner cos noo I could see her for whit she really wis. A lonely auld woman being widowed for over twenty years and coping on her ain. Loneliness made her the dour ill-natured kind of wifie she wis.

Noo I wis a young man, and I think she respected me at last. Muggie Skinner treated me differently aifter I wis thirteen, and I became quite friendly with her. Mony's the pound she slipped me tae gang intae the toon tae enjoy mysel. Whit a far cry frae her unca attitude previously shown tae me; I liked that auld woman for many years aifter me thirteenth birthday.

Time has louped by and years tak their toll on us. Grown up noo with a faimily of me ain I can see the things Muggie Skinner wanted for me tae dae. It wis learning me tae choose right frae wrang and nae tae mak silly mistakes. Seasons may change but there's nae change upon the glitter of the gold watch and chain. It is in as guid a condition as the day Muggie Skinner gaed it tae me and I cherish it well tae me heart.

Looking back upon Muggie Skinner, many folks wid remind on her as the coorse auld wifie, and many as the Village Gossip, but tae me, weel, she wis jist me ain auld Grannie.

Something wis gan on with the Royal Faimily and it sparked aff a story.

Wi aa got speaking aboot kings and queens so I telt them the story aboot a contest for deciding wha wid be a king amongst the Traivellers. I telt them aboot Esther Faa and Davy Faa wha were kings and queens frae lang ago amongst the gypsies, cos ma mither often telt me the story and also I kent the ballad *'Davy Faa.'* I wInt in tae the story...

CHOOSING A KING

Dantez wis dying and aa of the Traivellers were sair at heart. He hid bin their king for at least thirty years and whit a guid king he wis. This group of over three hundred traivellers hid been guided weel over the period of time that Dantez hid bin king. There wis nae strife nor trouble amangst the majority of the folks and he hid managed tae keep them oot of big toons. The traivellers hid bin happy with his ruling and his excellent leadership qualities.

Dantez hid started a wye of life for them where there wis nae poverty amongst them, cos whin times were prosperous he wid mak each and every yin of them pit an amount of surplus intae a kitty which he kept for them and whin the bad times came intae some hard winters he gaed them back a portión or mair of their chatry or lowdy. This system worked weel with them and during his reign of king he did a grand job. Aabody liked him. Aa of the hantel stopped intae a big lonely glen tae see which een of his sons he wid tak tae be his successor.

Weel, it sae happened that Dantez died afore he appointed which een of his loons wis gan tae be his heir as king. There were twa brithers. Een wis cawed Danzer and the ither wis cawed Donzer. Noo they were identical twins. Usually, the auldest laddie wid become the king and everyone wid accept that ruling but intae this case of twins the auld folks aye said that they were een split intae twa halves. Although Danzer wis the eldest by jist a few minutes, being a twin didnae gae him ony mair right tae the kingship than the ither. It wis a right pickle they were intae.

The twa lads aye hid this awfy animosity between them. Their faither aye tried tae reconcile the pair, but somehow this situation wis aye afore them and een day they kent that it wid be a reality and they were truly each ither's rival. Baith of them wis tall, and each hid jet black een and curly black hair. Ye couldnae tell the een frae the ither. Each of them wore dark trousers and gaily coloured shirts, and bandanas roon their necks. Their natures were baith very coorse.

They could fight like big guns and if ye were their victim then ye kent if ye fell tae them, then they wid kick ye saft. They never showed mercy tae onybody that got intae their wye. They could fight, fish, hunt, snare and deal tae the self-same tune. Baith were deadly with a dagger. Their auld faither wis aye sair at heart with their indifference. They were instruments of cruelty whin they taen the gee tae be so. Neen of them hid the finer airt of the music or sang that wis sae important tae the Traivellers, especially on dark winter nights. Their language wis foul and free, and they cawed a spade a spade. In a wye they were bullies, and mony a kick they wid gie the younger lads in their midst if they didnae get obeyed right awa.

Seeing as they were twins meant that anither contender could tak their place tae fight for the right tae be king. Noo there wis a cousin, big Jared, but he wis a cowardly kind of gadgie, and also he wis very hungry-gutted. If he wis king then he wid keep everything tae himsel and widnae stand up for their rights whin he wis placed intae a tight corner. And he wis far too feart of Danzer and Donzer tae dare mak himsel a contender for the kingship.

So, aifter the three days of mourning for the auld king, the vardo wis burned. There were many rites tae be performed. Aifter the funeral wis three days of celebrations. It wid be a month before ony of them wid be picked as king. The thing that their auld faither feared maist hid come tae pass. There wid be a division amongst them. Their only safety lay within their strength of numbers and unity. While they were united then they could stand aa of the buffetings that befell them, but it wid be different if they split intae twa groups. Then there wid be twa kings and that wis a sure recipe for trouble and strife.

Noo if the kingship wint tae the strongest of the Traivellers then surely it wid hae gang tae Battling Don wha wis a powerful man and could mak mincemeat oot of Danzer and Donzer taegither, but it jist wisnae like that. Battling Don wisnae in the direct line of authority, so therefore he didnae even consider himsel in for the job. Big James wis at least in the right lineage and there were some of the folk pit his name forward for the kingship, but the ither lads were formidable enemies.

A great day wis pit aside for the lads tae try and see by

a tower of feats which yin could dae the task best. Yet, nae maitter whit it wis that they wid be asked tae dae they wid aye be eexie peexie. Yin wis as guid a man as the next. The folks didnae ken whit kind of feats tae hae for them tae duel ower. They kent that if it wis a fight then it wid surely be tae the death. The folks didnae want anither death on their hands, and they kent that it wisnae right for brithers tae hae sic animosity between them and that this contest wid only cause it tae be aa the mair so.

Yet in their midst wis een of the wise yins. Ancient Noshkie wis a wise auld yin. She hid a splendid vardo, with the maist beautiful black stallion tae pull it.

There wisnae a man in the camp that could touch it. Only the auld woman could handle this powerful beast. With her it wis as gentle as a lamb and it only obeyed her command. Noo the Traivellers in a body, with Battling Don leading them, came up tae ancient Noshkie's vardo and asked an audience with her, which she freely gave.

"Come close tae me, me bairnies, and tell tae me whit aileth yer thoughts and I will gie ye me advice."

She wis revered as a great prophetess amongst them aa. Battling Don acted as spokesman.

"Dear auld wise yin, oor hearts are troubled noo, cos we fear whit we should dae for tae mak up the feats for the twa brithers, Donzer and Danzer, tae be King."

"Weel ye are right tae come tae me, for I see much disaster for oor hantel if ye mak an error in yer decision, so I will mak them prove themselves afore ye aa and I will mak oot that great task that they maun perform."

"Thank ye kindly, ancient wise yin, for yer great knowledge."

Whin the appointed time came, a day a great merriment

took place: aa of the folks built a stockade, cos the auld woman hid wanted een made, and the people lifted the auld wise yin up upon a high seat so that she could preside ower aa that wis taking place.

Then the music stopped and every one listened tae whit auld Noshkie hid tae mang tae them.

"Firstly, I caw intae the stockade for everybody tae see for themselves, Danzer, the son of King Dantez."

Danzer came in showing aff his prowess as an acrobat and athlete and he hid an air of haughtiness aboot him.

Noshkie says, "Ye are alane intae this stockade and I will pit in me ain stallion 'Lavengro' intae the stockade as weel. Noo he is only obedient tae me and nae man his ever rode upon his back, but if ye can dae sic a thing within een hour then ye will prove yersel tae me, and tae aa of the hantel, that ye are worthy tae be king."

Lavengro comes charging in like a son of fury. Its body wis shiny black and blinning like the sun. Weel Danzer couldnae hardly even get near it, and aifter a very difficult oor of rinning and getting kicked twa or three times, he couldnae dae a thing with the stallion.

Danzer kent that if he couldnae dae that, then neither could Donzer. Donzer wis intae the stockade and he tried tae get near it, but this wild stallion wid hae kicked ye tae death and aifter anither hour passed, Donzer ended up like his brither. Then the folks cawed upon big Jared, but he refused cos he wisnae gan tae get himsel killed for the sake of being a king. At least the twa fellas did hae courage and on that ye couldnae fail them. They tried and failed the test, but they were brave and valiant lads.

Then Noshkie cawed oot anither name lood and clear,

"Carlotta, Carlotta," and doon came a vivacious beauty of aboot twenty-three years.

Her hair wis as black as ebony and her een were as blue as the heavens. She wis a niece of the auld king and therefore a contender for the pairt. Everbody wis amazed. Neither Donzer nor Danzer could complain, for she wis their kinswoman. Carlotta hid the right tae challenge for the title. Noo whit naebody hid ever realized wis that Noshkie, being an ancient wise yin, already hid thought and planned it aa oot years before. She, in her great wisdom, kent that sic a predicament wid occur whin the auld king died and that the twa laddies wid hae sic bad bleed atween them that something else wid hae tae be thought of tae resolve the pickle. This is whit she hid deen ower aa the years. She trained Carlotta tae be the leader and she taught her aa the skills of the wise eens and how tac mak sensible dccisions. The twa laddies could never hae deen that, cos they were baith very jealous hot-heids. She hid taught Carlotta the music as weel, and although Carlotta hid a lot of wild fighting spirit in her, she could dae everything that wis needed. Carlotta hid plenty of wisdom as weel as compassion ontae ithers.

In front of aa the hantel, the beautiful Carlotta wint right up in front of the mightly powerful Lavengro and tae everybody's amazement the great stallion bowed before her. Noshkie hid trained her with the stallion since she wis a wee quinie and the stallion, noo very auld, loved her. Nae man hid ever bin allowed near him, but Carlotta hid rode him many times. There noo wis nae contest.

Danzer and Donzer hid nae need for their animosity ony mair, so they said that they wid be real brithers noo and guid freens. Auld Noshkie certainly wis a real wise yin

Aa of the folks shouted and cheered, "Long live Queen Carlotta! Long live Queen of the Traivellers!"

Mucky states, "Oh, that story hid an unusual ending! Ye wid hae thought een of the loons wid hae got the title, yet it wis a happier settlement at the end cos it left nae animosities."

Decky piped up and he says, "I mind me mither telling me a story aboot some lads that seen a Green Lady."

I says, "Whit happened in that story?"

"Weel I'm nae a guid story-teller, but I'll tell ye it in me ain wye."

THE GREEN LADY

There used tae be a fine camping place, nae that far up beside the river Dee and mony a traiveller his camped there. It wis nae mair than aboot six miles oot of Aiberdeen, and it made a fine place tae stop overnight if ye were on route tae Aboyne or Ballater. This wis the reason why Tracker bade a couple of nights there. He didnae hae the price of a sheltic or a float, so he jist traivelled alang the road, making for Kincardine o' Neal, whar a brither of his wis camped with his faimily. He kent that if he cadged his wye oot tae his brither then his brither wid gae him a start, or enough lowdy tac buy a pony and float. As he suffered frae athlete's fit, he didnae like walking too far withoot a break, so it wis fine tae get tae the camping spot aifter only gan a few miles.

Noo this spot wis ontae the lower Deeside road and that wis a less acquainted road with folks. The bittic whar they camped wis a fine sheltered spot with a pucklie trees intae a clearing. Jist across the road wis a heavy forest land and cence upon a time aa of that area hid a lot of trees intae it. Ontae the first evening there he pitched up a wee bow campie and lit his fire and stoned it roon aboot so that it widnae start ony fires. A fine clear crystal stream nearby gaed him as much fresh monteclara as he desired. He didnae hae ony right food except a puckle

97

tea and sweetney, but he sprached the hooses roon aboot for eggs, milk and ony odds or ends that he could beg frae the country folk. Since he wis a young loon and able tae hawk he kent that he widnae hae tae gang hungry.

He smoked a pipe for he aye liked tae steam late in the evening and tae jist relax in the beauty of the surroundings. On the first night it wis a braw summer's evening, and it wis pure peace and tranquility tae be at sic a nice quiet spot. There wisnae ony ither folks camped there and he wis happy tae be on his ane. While he wis smoking, he aye kept the flap of his tent up so that the smoke wid get oot of the camp. As he deeked at the wood ower the road, he wis surprised tae see a bonnie young bloan walking aboot the woods through the quiet still night.

'Maybe the peer cratur is lost and she is deeking for the wye hame,' he said tae himsel, and so he wint ower tae investigate.

The dilly wis adorned intae a lovely green frock that hung doon tae her tramplers. There appeared tae be a kind of radiant glow coming aff her. Tracker approached her and went right up tae her, but as he did so she vanished oot of his sight.

"I maun be gan keelieoshiek!" he thought tae himsel. He deeked aroon for her but she wis naewhere tae be seen.

He wint back tae his camp and he slept like a log.

Intae the morning he wis gan tae pack up his tent and gang on with his walk ower tae Kincardine O' Neal, but it wis an awfy day of rain. It wisnae taking its time tae come doon — it wis jist a deluge. It wid be a better idea tae bide whar he wis for anither day, cos he didnae wint tae catch a wild host. He jist hid got better frae an awfy bad 'flu and he wis determined nae tae get anither yin.

It didnae stop raining until late aifterneen, whin a journey onward wid be a waste of time cos it wid be too late tae get tae whar he wis gan, and it wid only disturb folks arriving late at night, and he didnae like tae pit folks oot on his account. He wid gang awa intae the morning.

That night he wint tae his kip and he slept weel again. He arose tae hae a steam at his pipe and as he wint tae light it, eence again he deeked the bonnie young hizzie claid intae the green frock wha wis intae the woods across the road. This time he quickly raced ower the road and the young manishee wis standing in front of him. She wis shimmering like a will o' the wisp, and Tracker obviously kent weel that she wis nae ordinary woman. He cried oot tae her, "Lassie whit are ye deeking for?"

She looked at him and she said, "I await my husband tae come and tak me hame. I hae waited upon him every night for years an years but still he disnae come tae get me."

The night wis very clear and there wis a full moon intae the sky. Tracker kent that this wisnae a real woman but a spirit. What ever befell this peer lassie that still made her haunt this pairt of the country? Tracker asked her wha she wis, and the lassie answered,

"I am Lady Alice and tonight I wis mairried tae a handsome young Lord."

Tracker wis surprised by her answer. It wis easily seen that the lassie didnae belang tae his time but that he wis caught up either intae a time warp or that she wis a ghost wha wis sac unhappy that she kept haunting the place. It wis hard tae believe that he wis haeing a conversation with a spirit, but he aye remembered the tales of his folks and their encounters with the supernatural. He often used tae laugh at the stories he hid heard frae ithers but noo something quite phenomenal wis happening tae himsel. Tracker didnae ken whither he wis feart or excited by the event, but he wanted tae ken mair aboot the lassie and whit hid happened tae her.

The lady continued telling her story. She says,

"My name is Lady Alice and I come frae a castle intae the lowlands of Scotland, and my faither betrothed me tae a handsome young Lord cawed Thomas. I wis brought up tae a castle near Aiberdeen for me wedding, for this wis whar my hame wis tae be. I wis very happy, for I met my Lord afore we were tae wed and I fell in love with him, aye, and he with me. It wis a perfect love match. The night afore the wedding wis gan tae tak place there wis a strange custom the folks hid and I wis a pairt of it.

"It decreed that I wis tae be adorned intae a bonnie green frock and that the auldest knight in the castle wid tak me awa and hide me somewye safe until me guid Lord wid come tae find me. It wis an auld custom and a quaint een, so I wis very happy tae gang alang with whit tae me wis aa pairt of the ceremonies of getting married.

"It started aff very weel. Maidens washed and attended me and pit on the bonnie frock for me and I wis looking very beautiful. Everything wis aa sae wonderful and I never thought that ony hairm wid tak place. Nae far frae the castle wis the bonniest woods that ye ever did see and the auldest knight in the castle wis tae tak me and hide me awa. It wis great fun. The auld knight, wha's name wis Donald, taen me awa on a horse and he led my horse oot intae the woods.

"He kent exactly whar aboot tae hid me. Noo if I wisnae found within a couple of hours then it wis the duty of the auld knight tae tell aa the folks whar I wis. But the Lord wid hae tae pay him a guid pouch of siller, cos it wis aa pairt of the bargain and custom. The auld knight said that he kent a place whar I wid be safe and that me lad widnae fin me.

"Weel, we slowly rode for aboot half an hour until we came intae a clearin intae the wood. The auld knight wis rubbing his hands with glee. He hid intae his hands a rope ladder and he led me by the hand ower tae an auld decrepit tree that hid a big hole intae it. The tree wis doonright rotten and there wis a deep hollow intae it. He lowered me doon by means of the rope ladder, and whin I wis doon intae the tree I found I couldnae reach the top of it. It wis a deep hole. Then the auld man took oot a candle and with a tinder box he lit it and pit it doon tae me, telling me nae tae be feart, cos I wid be oot lang afore the candle reached half wye doon. He telt me that I wis quite safe and that he wis noo gang back tae the castle tae tell them that I wis hidden awa and it wis time noo tae seek for me.

"I dinnae ken whit happened then, cos I waited and waited and then the candle burned oot and I wis left intae the darkness. I screamed and screamed but there seemed tae be naebody there tae help mi. Twa days past and I felt weaker and weaker but my Lord never came tae my aid. He didnae ken whar aboot I wis hidden. He couldnae hear me screams. Only the auld knight kent whar I wis hidden. Perhaps the auld man died, and I wis left here tae wait forever on me lad."

Tracker felt the saat tears blinding his yaks. How could he help the lassie? Then she said tae him,

"I cannae escape frae this place whar my soul is trapped, but if ye can gang tae the priests that are very near here, then perhaps they can release me frae this power that keeps me every night seeking for my Lord. Ye see, ye are the only living soul that his hid the courage and kindness tae speak tae me. Ye ken noo my tale, and I am pleading with ye tae set me soul at peace. I dinnae want tae scare folks with me nightly wanderings, cos I wis never a coarse lass and all I want is tae join me ain lad intae the ither world. Please promise me that ye will get me help and get a religious body tae pray for my soul tae fin rest."

It wis through the deid ceilings of the night that she finished telling Tracker her sad tale of woe. Then she thanked him for listening tae her and aifter that she vanished afore the morning sun started tae shine.

The first thing intae the morning that Tracker did wis tae gang ower tae Blair's College for training priests, and he telt the heid-man his story. The heid gadgie wisnae very impressed with Tracker cos he wis jist a peer traiveller wha might hae made up the story tae get attention, but he said that he wid gie Tracker the benefit of the doot. He accompanied the loon ower tae whar he said he hid seen the lady. Aa he asked for wis the name of the lassie, and Tracker said that she wis cawed Lady Alice and that she wis gan tae wed a young Lord cawed Thomas.

Weel, this holy man didnae cairry oot an exorcism, rather he explained that if it wis an unhappy soul earth-bound through some strange kind of circumstance, then he wid simply pray for her soul to be taken awa tae the right place whar it should be, tae fin happiness and peace. The man gave a beautiful prayer ontae her behalf and aifterwards Tracker wint on tae continue with his journey ower tae whar his brither wis camped. Frae that time he never ever made light of ither folks stories or experiences, cos he himsel hid een that wis maist unusual and he kent that it hid happened tae him.

Weel, mony's the time folks hae camped at that spot

oot on the lower Deeside road, but never his onybody seen the bonnie Lady there again. I truly believe that she found peace for her soul.

"Ye telt yer story weel, Decky. Ye should tell mair."

"Dinnae be corrach, cove. I wid rather jist tell jokes!"

Then the driver says, "I ken a guid joke. Ye see there wis this man and he wis taking his dog oot tae the vet tae get it destroyed and he met anither chap in the street. The ither boy says tae him, 'Whar aboot are ye taking yer dog', and the boy replies 'I'm taking it tae the vet tae get it destroyed.' 'Is it mad?' said the chap. 'Weel, it's no very pleased!' wis the reply."

It caused a wee bit of laughter and Mucky says, "Did ye hear the joke aboot the Scotsman wha wis walking doon Broadway in New York with his moo wide open. Weel, he'd heard that there wis a nip in the air."

Then the jokes got mair pathetic but it kept ye gan aa of the night until lowsing time. Whin ye were finished yer back wis really very sair, and yer fingers bleeding with the jabs ye got.

DINNAE LET DAB

Norman wis a fish-merchant, but he wis a real toff gadgie. Being a Christian he didnae allow onybody tae curse and swear in his fish-hoose. Noo, I quite liked gan there because I didnae really swear muckle either. Only if I got very angry wid I use bad language and it teen an awfy lot of irritation afore I lost my rag. There were times whin I became pure killiekrankie but it wis very rare occasions.

I wint roon een night tae work for Norman and he hid a great amount of dabs. Dabs are very easy soles tae cut and they look like lemon soles, except they hae a very rough textured skin.

On this particular night Norman hid his wee lassie doon tae the fish-hoose. The man telt us aa tae be extra careful at whit we were saying cos the wee lassie wis listening tae every word. She wis aboot eight year auld and she hid bonnie blonde hair. She wis a very inquisitive wee girl and she asked aboot aathing. Noo the lassie spoke very guid English and if she didnae aye pick up whit we were saying tae her she said, "Excuse me," and, "Pardon," so I hid tae try and speak polite tae her.

During the night, tae pass the time awa I telt the wee lassie some tales. I wis making them up as fast as I could spin them. It wis a gift I seemed tae possess. The wee quinic listened carefully tae every word, and I spoke very politely and clearly.

CLUMSY GABBY

Her name was Gabrielle but everyone called her Gabby.
She was a very rough ten year old girl. Her hair was long
and auburn and she kept it pinned up. She had four elder
brothers who were always fighting and Gabby was
brought up tough. Unlike other girls, she was a tomboy.
Her nature was a bit wild and she always played with the
boys.

Miss Beverly, her school teacher, did not like her very
much because she was not gentle like her other girls in
class. Gabby did not really care too much for Miss Beverly
either.

At the school Gabby attended, Miss Beverly's class were
to do a special display of highland dancing for the show.
A prize was to be given to the best act of the evening.
Gabby each day took part in this display dancing team.
Miss Beverly taught the class. Nearly all of the girls were
light-footed, but Gabby, who was taller and heavier than
the rest of the girls, seemed to be clumsy. She enjoyed
doing the Strathspeys and reels and she would be very

happy to be in the dancing team. But the heavy thumps from her feet began to annoy Miss Beverly.

"Oh no Gabby!" shouted the teacher. "I'm sorry, but you are no use in the dancing team. You will have to go on and recite a poem or something, but you cannot be in the dancing team."

Gabby replied, "I don't like the dancing anyway!" and she stormed out of the class. Her heart was filled and she could not hold back the tears as she walked home.

'Miss Beverly never likes anything that I do,' she thought to herself. 'Perhaps I don't have talent like the rest of the girls.'

As she walked home Gabby noticed that a small fair had come to town and she noticed a gypsy fortune teller called Madame Noshki had a booth there. "I am going to get some money and see what the fortune teller says about me, and tells me if I have any talents or not. She went home and took some money from out of her piggy bank and ran back to the fortune teller. Madame was outside her booth when Gabby appeared at her door.

"What do you want little girl?" asked Madame Noshki.

"Will you please read my fortune and tell me what my talents are?" asked Gabby.

"Your face is your fortune," replied Madame in a friendly voice.

"I would like to be in the talent show but my teacher tells me that I have no talent," says Gabby.

"Come inside and I will tell you what to do." Madame took out a strange musical instrument and she said, "This is my balalika. I will play you some gypsy music and I will teach you, little girl, to sing and dance. Perhaps you cannot master the dances that your teacher teaches you, but you may be able to do my dances."

The Madame taught Gabby an old gypsy song and she accompanied her on the balalika. Gabby picked it up instantly. She was very nimble at this dance and she was learning the song fast. "When is the talent show?" asked Madame.

"Next Tuesday evening," replied Gabby.

"Then come to me for a short while each day and I'll make you the star of the show."

On the night of the show many of the school children were doing their own acts and they were good. Gabby's was the ninth act. Everyone was laughing at the thought of Gabby performing but they got the shock of their lives. Madame had dressed Gabby up in a most splendid dress that made her look slim and shoes that made her look older than her years and she looked beautiful on the stage. Madame played the balalika and Gabby danced very nimbly and sang the ancient gypsy song. It was so splendid that she got the biggest applause.

Miss Beverly had to follow her act with the dancing team. Well, everything seemed to go wrong. It was as if the old gypsy woman put a curse on the dancers. Some of the girls fell and the team was in a shambles. In the audience was a televison talent scout and he was very impressed with Gabby and the old gypsy woman. At the end of the evening Gabby and the Madame won the show.

"Gabby, you were wonderful" said old Noshki. All of the people congratulated her on winning.

Even Miss Beverly congratulated Gabby.

Then the television scout asked her if she would like to appear on his programme as he was very impressed by her performance. Gabby and old Madame Noshki agreed to go on the television and the school was very proud of her.

When she returned to the school next day she was

greeted by the headmaster and given the prize money. Gabby donated the money to a children's charity. Both her and Madame Noshki had agreed to do that should they win.

Gabby had found out that she did have many talents and that it only needed someone to bring them out. The old gypsy woman had brought them forth and Gabby was grateful. It just showed that other people can be wrong about others.

That day as she was leaving school, Miss Beverly wanted Gabby to do something for her and she called after her, "Gabby, Gabby!"

The girl turned round and she said, "Miss Beverly, my name is Gabrielle and from now on I wish to be called by my proper name."

Miss Beverly apologised and from that day forth she always called her *Gabrielle*.

At the end of the story the lassie says, "Oh, that was a very nice story. Can you tell me another one?"

It wis very hard for me tae keep speaking in guid English, so I made up this een in me ain tongue on the spur of the moment for the wee lassie.

THE PEACELOCK

Awa back hinnie lang ago, in the days of the wooden boilers, there lived an evil Warlock. He wis a very wicked man and he ruled with a rod of iron and woe betide onybody wha crossed his path. Aa the peer folks in the area under Benachie, near Alford, lived in a state of constant fear. If they didnae pay their taxes and gie gifts tae the warlock, he wid make their life sae miserable. Every person in the neighbourhood kent how bad he wis and naebody ever opposed his will.

The kind of things he wid dae tae the peer craturs were terrible. Oft times he wid milk aa the folk's cattle dry, cos he hid lang ropes hanging frae the udders of them all and whin he pulled them, aa the milk oot of the folk's cattle wid rin on the ropes. For the sake of coorseness he wid blight the people's crops. As lang as ye paid yer wye and gaed him gifts aa the time he wid leave ye alane, but if ye crossed him the wrang wye then he wid visit ye with famine and pestilence and even tak yer wee lassies awa tae mak them slaves intae his ain castle.

So ye see that it wisnae easy for the folks roon aboot tae hae muckle pleasure in their lives. In fact everbody's life wis as miserable as sin. Weel, that wis until a guid young man came intae the scene. Young Jack wis a stranger intae that pairt of the land cos he originally came frae the borders but because he constantly got his ain cattle stolen by the Rievers, he decided tae come nearer the Hielans, so he chose the Alford area as a place tae bide.

The land wis bonnie and green and he thought that if he raised up some mair cattle then he might get some peace tae enjoy jist getting on with his ain life.

As he traivelled aa the wye up tae the Alford area he hid a wee puckle money for tae gie himsel a guid start. Jack wis very happy with the new venture he wis embarking upon and thought that he wid mak plenty of new freens intae the bargain. Ye couldnae hae found a finer boy than Jack, cos he wid hae shared his last with onybody and made freens very easily. Onywye, as he continued his journey on the road tae Alford Jack felt a guid feeling inside his heart.

As he traivelled north he found oot that the folks were beginning tae look sae puir and skinny. 'Surely the folks here must hae some kind a blight upon them and that is whit maks them aa sae peer looking,' he thought tae himsel. Yet the nearer tae Alford he came, the mair everything hid a miserable tinge tae it. He felt a wee bit drooshie, sae he stopped near a bonnie clear river tae tak a moothfae of the water, whin he spies an auld man lying on the bank. Gan up tae the man he asked him if he wis aright and if he needed help with onything.

The auld man smiled with a broad grin and says, "Welcome, Jack, tae this pairt of the world."

"Hoo dae ye ken me name?" speired Jack.

"Weel, ye see laddie, it wis me wha really sent for ye and ye sort of came tae me bidding. I am the auld Peacelock and I hae chosen ye tae be me successor."

"A Peacelock? Weel, I hae never heard of a peacelock, and whit in the name of persistance is that?" asked Jack.

"A peacelock is the very opposite of a warlock, and whin there's too muckle evil gan on, and the peer folks are being kept under great bondage, then the peacelock his tae try an pit a stop tae the evil of the warlocks. I am getting too auld noo, and I'm ready tae gang awa tae me rest frae this life and continue on anither sphere of life elsewhere. But I will gie ye aa the mantle of me powers and authorities that ye will need tae rid the area of the evil that infects it."

Jack asks, "Why did ye pick me tae dae that work, cos I came here only tae raise a few cattle and liye in peace."

"Yes, and ye are a great peacemaker, and that is why ye will be the new peacelock."

The auld man taen Jack ower tae a special pairt of the river and he cries oot a few funny words and in seconds the bonniest shoal of salmon came ower tae whar they were. Jack wis flabbergasted at the sight of aa this bonnie cauld water fish coming tae the peacelock's bidding.

"Noo, Jack, it is almost time for me tae gang awa and become the king of the river and start a new life as the magical salmon, sae that I may progress a bittie further in me sphere. I want ye tae look deep intae the biggest salmon here and peer intae its een cos it will transmit the power of guid tae ye so that ye winnae be withoot knowledge. Ye see, he is the auld river-king and he has deen fifty year intae that life and noo he's tae advance tae gain mair wisdom, so that he in turn will be an even higher peacelock. He will come oot of the water and I will enter it tae tak up me new position. Whin he comes oot of the water he will turn intae an awfy bonnie bird with multi-coloured feathers of the likes ye hae never seen before. Ye ken if ye ever need his help that he will come tae ye if ye really hae yer back against the waa. I also will help ye if ye ever come tae the river. Noo, Jack, ye must listen carefully cos ye need tae be trained up for the job, and ye will find it the maist rewarding work in the world being a peacelock."

Jack's lugs were cocked up tae tak in aathing that wis getting spoken aboot, and he wondered whitever hid he daen tae deserve sic a high honour being bestowed upon him.

Noo, the fish came oot of the waater and then lay as deid until a few seconds later a bonnie-coloured bird flew awa intae the woods far above whar they were standing. Next the auld peacelock wint intae the water and vanished, but a big king salmon appeared in jist a few seconds. It says tae Jack,

"Pick up the deid fish and use it tae the best of yer ability. The knowledge will come soon." He bid Jack fareweel and wint awa tae continue in his new sphere.

Jack taen the salmon and wrapped it intae twa large docken leaves and tied it up with a bit of tow before continuing his journey towards Alford.

Gan alang the road he passed by a woman and she hid a dose of wee bairnies and they looked very lean and hungry. Jack thought that he wid share the big salmon with the woman and her faimily. "Missus, wid ye cook this fish for me and tak the half of it tae yersel?" The woman thankfully did this cos it wis a rare treat for them aa.

With the big bottom chunk of the fish that Jack got, he began tae enjoy the salmon, whin he came across something hard, and behold, it wis a gold key. He kent that this wis pairt of the things that were happening tae him. Aye, if this gold key wis in the belly of the king salmon then surely it must mean that the key be thrown back so that the new king salmon could keep it there for safety. It must contain the knowledge to everything needed tae be a peacelock. Aifter he ate himsel full he wint back tae chuck the key back intae the river.

Gan as fast as he could, Jack returned tae the same spot whar it aa started frae and there he saw the king salmon waiting patiently for the key. He says tae Jack,

"Yes, ye realise that this is the key of truth and that it must be kept safely hidden at aa times. So chuck it intae the waater and I will swallow it sae that nae ither body gets a hud of it and lets it faa intae evil hands."

Jack throws the keys awa intae the river and the salmon swallowed it.

"As lang as ye ate of that pairt of the fish then ye hae gained the knowledge, and because ye hid the key intae yer hands then ye hae the powers. Noo awa and find yer work interesting and aye help folks, cos ye are noo the new peacelock." Everything went quiet. He kent that the pairt of the fish the woman and bairnies ate wis jist fish, but for him it wis wisdom and knowledge.

Noo he continued the rest of his journey tae become the peacelock of the land. The puir folks in the area whar he hid bought his wee croft hoosie were very cowed and timid. They were feart of new folks in the area, cos aabody kens whin an auld warlock dies then anither yin taks his place. At first folks thought he wis the new warlock cos the auld yin wis weel ower a hundred. Whin they found him tae be pleasant they taen tae him. He wis kind and shared whit he hid with the puir folks and in nae time word wint oot ower tae the auld warlock, wha hid never ever hid tae deal with a peacelock.

A challenge of magic wis cawed oot. The auld warlock did try his skill against this new peacelock. Muckle dire evil wis in the stony heart of the warlock and he challenged the peacelock tae a duel in the morning, and aa the folks were very excited tae hae a new champion tae fight for them. Somehow this new lad seemed tae hae nae fear of the warlock. It wis black magic versus white magic. The warlock kent how tae shape change, but the new peacelock didnae.

On the fields abeen Alford wis the place set for the battle of magic. The rules of the battle were set and the yin that broke the rules wid vanish intae Limbo for seven years cos that wis the law.

The auld warlock changed intae a great viper and hissed aboot making everyone terrified. Jack stood his ground and jist waited for the right moment.

Suddenly above his heid swooped the wee bonnie-coloured bird that hid eence bin a peacelock. It gently hovered above Jack's heid and touched him. He immediately turned intae a mongoose. The battle of the guid versus evil hid begun. As much as the viper struck oot with its venom the mair the mongoose darted aboot. The battle raged for ages until the mongoose got a thrapple hold and tore the throat of the viper awa intae pieces. The battle wis won. It wis a victory for the peacelock wha noo wid stand his ground tae defend the folks of the area. Aifter the battle the folks teen the viper's body and burned it. The auld evil warlock wis noo awa frae them but they aa kent that anither warlock wid come frae Hell tae tak ower the auld yin's ground.

Jack wisnae gan tae hae that.

Immediately he wint back ower tae the river tae call upon king salmon tae get his advice on how tae deal with the new warlock; for if the ither hid been auld and weak the new yin wid be strang.

"Och aye," says the salmon, "but remember he is like yersel, he will jist be a novice and winnae ken too muckle aboot everything."

"Whit dae ye advise me tae dae?" asked Jack.

"Ask him whit is the strongest of the animals and let him choose tae be that animal, and ye choose the weakest yin cos white is nae sae dominant as black but it can often hae drastic effects."

Whin Jack came back the new young warlock wis there taking up his place.

"Ye hae nae business here noo and I am here tae fight ye tae free me people," Jack says.

"Ye will hae tae oust me oot of me place first," replied the new warlock.

Then Jack says, "Ye may be the strongest of the animals on the land and I will be een of the weakest and we will fecht tae the end. Whaever wins has the lairdship of the land."

Withoot ony ado the warlock changes intae a powerful mammoth with huge tusks and power like naithing on earth. The mammoth wis een of the maist powerful beasts living in the land in those times. Jack changes quickly intae a wee moosie, and rins up the mammoth's trunk. He starts tae nibble inside the great beast's trunk causing great havoc inside the mammoth's heid.

The young warlock wis sae shocked that he didnae even hae the power tae change back tae his ain form. He managed tae shape-change intae a tiger, but he surely didnae mind on the rules of the contest, and cos he broke the rules he wis immediately taken awa tae Limbo for seven years. Aa the folks cheered as they saw that the evil wis beaten and that they hid a new peacelock instead of a warlock.

Aifter that the folks roon aboot Alford and Bennachie were very happy cos they hid a guid overlord looking aifter them and protecting them frae evil.

The peacelock wis very guid and spread a lot of peace amongst aa the folks and everybody wis contented tae bide in that area, and I think that's why until this day the folks roon aboot Bennachie and Alford are awfie fine folks.

I jist finished the story whin the child's mither came for tae tak her hame. "Thank you very much for your nice stories, Mr Robertson," the little girl cried as she wint awa oot the door.

A lot of folks used to use me as a confidant and they wid tell me things that were very personal cos they kent fine I widnae let dab aboot whit wis gan on.

It wis a case of daeing dabs and nae letting dab!

Een of the quines working with me cawed Bonnie Betty telt me that she wis expecting a bairn and I congratulated her, but her countenance wis dooncast and I seen that she hid something tae hide. She telt me in confidence aa the story.

Ye see, her man and she were haeing awfy financial

difficulties, and Betty wis working a lot at nights in different places trying tae mak extra cash. Herman wis working aa night on a shift at a factory and they hardly ever seen each ither. Betty wis a guid-looker and she could pick up admirers by the dozens. Then, een night that she wis coming hame frae a night's work she met her brither-in-law. It wis very hairmless and there wis naithing wrang in gan intae the pub with him. If it hid stopped at a couple of drinks then things might hae bin aaright, but they peeved on until baith of them got mair fu than they should hae bin.

Her brither-in-law taen her hame whar her childminder wis watching the bairns, wha were noo sleeping. Aifter the babysitter wint awa the twa found themsels in bed and cairrying on. Whin drink is in, the wit's oot. It wis a combination of frustration, loneliness and lack of communication that brought the predicament they were in tae a heid. They were baith much ashamed whin they fully realised whit a serious moral sin they hid committed, for the aiftermath could hae murderous results. Tae get found oot wid be awfy for the baith of them. And one person hid caught them in the act of adultery. Ye see, the child-minder forgot her handbag and she wint back tae the hoose and she caught them reid-handed. The child-minder wis her cousin, and sae Betty wis in a bed of scorpions, noo. If the cousin telt there wid be open blue murder. Noo she telt me these things cos she wanted tae confide in somebody.

"Weel, Betty, I am nae a priest and I cannae offer ye absolution, but perhaps if ye did gae tae een, then he could offer ye spiritual advice. I'm too young tae tell ye whit tae dae cos I'm very innocent tae the wyes of the world."

Betty did tell her man and he did forgive her cos by

the same token he wis haeing an affair with a deem in a factory. Sae ye see they were as bad as each ither!

It is nae a guid thing tae ken too muckle aboot somebody else, or tae say onything between a man and his wife cos ye will aye end aff the bad een and maybe get a laying-on at the same time.

So ye see my motto wis 'dinnae let dab!'

HOLIDAY

HADDOCKS

Spring holiday Monday wis a holiday for aa ither bodies bar me and een or twa ither fish workers wha got casuals. Weel, it wis sic a fine day and instead of being oot in it, here I wis stuck intae a dark, dreich, dreary, dismal jeer-hoose of a place. Ye couldnae move for the fish, nearly aa rough stuff, which wis lying aboot in piles aawyes. There were cod, tusk, ling and blackjacks, but there were a lot of wee single haddocks gan aboot as weel.

It wis great tae see Muggie, the woman that learned me tae fillet, there in the fish-hoose. She wis in tae dae a casual as weel. There wis nae double money or onything like that. No, it wis jist ordinary hoors, but at least tae us it wis a bit extra for oorsels. Aa the rough stuff got cut first and packed awa and whin that wis deen, we were left only with the haddocks.

It wisnae a case of trying tae catch trains, so we taen it a wee bittie easier. Muggie gave me aa the latest things that were gan on in her life. She telt me that she wis awa frae the Gallowgate and that she got a nice wee hoose intae Kincorth. She thought it wis a bit far awa frae the toon but she liked her new hoose. Occasionally Doshie and Beanie wint up tae see her and sae did some of the ither lassies that we worked beside.

This fish-hoose hid a lot of workers in that day, but maistly aa the filleters were casuals like mysel and Muggie.

During the break Muggie asked me tae read her cup and I felt a bittie strange, cos it wis aa right whin I wis a laddie, but noo I wis a man and it wisnae the kind of thing that men really daen. I wis fair embarrassed with her request. In nae time aa the wifies and some of the gadgies were asking me tae tell them their fortunes. The hale of dinnertime wis spent speaking rubbish tae folks. Perhaps I hid the gift of the gab but it wis jist a dose of lies. Ye jist telt women that men were looking at them and tae the lads ye spoke aboot women. It pleased aa the folks. Never did I get personal with onybody. Tripe wis the order of the day. Folks wid say, "Oh I ken that's true!"

Een quine wha hid bonnie auburn-coloured hair wis fair dying tae get her fortune telt, so I telt her some real rot.

The rubbish I telt her! I said tae her that she wis gan tae dye her hair blonde cos she fancied this guy wha hid a great passion for blondes. She wis totally enthralled cos she wis gan aboot with a boy wha really did hae a passion for blondes. "I'm gan tae dye my hair the night cos I jist believe every word that Stanley is saying."

Anither deem shouts ower, "I widnae dye me hair for ony man. Ye must be a right mug. Men are nae worth it."

The twa dillies started tae argue the toss with een anither until the diplomatic peacemaker Muggie came in with her wonderful philosophies on life.

"Lassies, let me tell ye that many folks dye their hair for different reasons. Some dae it tae establish a new look for themsels. Ithers tae mak themsels mair glamorous and some tae change their complete identity and person-ality. Folks can assume a different character if they are willing tae mak the effort."

Then this ither quine came in again with her tuppence worth, "I hae never heard of onybody dyeing their hair for a man."

"Ah, but lassie, ye are young yet. I hae lived on the earth a lot langer than you and I hae seen it many a time deen. Let me tell ye a story aboot a lassie wha dyed her hair cos she wis sae full with grief that she wanted tae forget wha she wis. She needed a place tae hide awa tae escape her grief...

FROM THE TOMB

Janice had a guid job with a firm of solicitors and she wis the chief secretary ower aa the ither lassies. The large office buildings whar she worked werenae that far awa trae the zoo. It wis in a right posh kind of area. Janice hid a responsible job and she kept everything ticking ower. She hid a wee tendency tae be a bittie bossie at times and this didnae aye keep her in favour with the ither quines. Nevertheless, she hid a high standard of work and she expected the ither lassies tae be as conscientious as she wis. Her bosses liked her efficient wyes, and Janice deen as she wis telt and everything wis deen very smartly.

Her best friend wis Katrina wha worked in anither department of the place, and though she wis mair intae legal things their paths often crossed. They baith shared a flat intae Edinburgh and it wis very central. The lassies paid an airm and a leg for it but they could afford it. Often they wid pit up their freens at weekends. They were smart lassies and they aye confided intae each ither.

Katrina hid an auntie wha lived intae Falkirk and occasionally she wid pop in and see them. Her name wis Martha and she wis a fortune teller; she fancied hersel as a clairvoyant but really she didnae hae the gift, but she imagined she did. Whin she wid come through she wid read the lassies' cups.

Een weekend Martha came up for the while and she wis gan tae gang hame.

It wis early on a Monday morning and the twa lassies were haeing their breakfast and at the same time sort of bidding the auld woman fareweel. She started tae read the leaves intae Janice's cup.

"Oh, I see an awfy bad time coming for ye, lass," she says tae Janice.

"Oh, hud yer tongue, Auntie Martha" said Katrina, "and dinnae bother scaring Janice with that rubbish."

"The leaves never lie," she retorted.

"Janice and I hae a very busy day ahead of us and she disnae need ye making her Monday morning bad for a start."

Janice smiled and said "What do ye see in my cup, Martha?"

"Weel, I see an awfy bad spell for ye, hen," says Martha. "I can see ye dying her hair black with grief."

"Whit a load of tripe," cried Katrina. "Whit is a bonnie blonde-heided lassie gan tae dye her hair black for?"

"I dinnae ken folks reasons, but jist that it is in the tea cup."

Janice laughed. "Katrina and I often speak about tinging our hair, but I wid never dye it black."

Indeed Janice wis a bonnie lassie and she hid the maist beautiful fair curly hair that ye ever hid seen. Katrina wis red-haired.

"Weel, I'm very happy in the meantime cos I'm getting mairried next month tae Barry," says Janice, "and then I will be Mrs Granholm."

"Na, na, lassie, ye will never hae the name of Mrs Granholm," replied Martha.

"Och, awa ye gan back tae Falkirk, ye auld witch, that is a dreadful thing tae say tae ony young lassie getting mairried," snapped Katrina.

"Weel, I can only tell ye whit is written in the leaves."

The lassies got ready for their work and they teen the auld woman awa tae the bus station before starting themselves.

Janice felt a wee bittie uneasy with Martha telling her those queer things and saying that she wid never be Mrs Granholm. Barry wis coming hame in less than a week and everything wis gan tae be aaright. Whit a lot of tripe. How wis she gan tae dye her hair black with grief. Things were gan weel for her. Noo she wis gan tae pit this nonsense oot of her heid as she hid a lot tae concentrate upon, especially on a Monday. This wis their busiest day in the work.

Janice left Katrina at the second floor of the building, and she wint intae her ain department tae get everything organised. Yet a deep rooted fear seemed tae sweep across her soul. She tried tae fecht it and explain it awa as silly tea leaves! She stuck intae her work and wis at it hard until aboot eleven o' clock. Then an office boy came in with a letter. A grim fear came sweeping ower her.

She teen the letter frae the laddie and it wis post-marked frae Venezuela. Her heart sunk low. It wis aa properly marked and typed frae that country. Barry wis awa working on the oil intae that land. As she read the letter a panic fell upon her. She near aboot fainted. It read.

"Dear Miss Janice Hawkins, we are sorry to inform you that your fiance, Mr Barry Granholm, has been killed in an accident. We are most sorry to inform you of this terrible news."

Janice could not move hand or foot. Then, suddenly, she moved herself outside and walked around the streets of Edinburgh. She spoke tae naebody cos she wis suffering frae the shock of this dreadful news. Somehow she couldnae manage tae cope with this tragedy. It wis only but a few weeks tae her wedding.

Yes, indeed, Martha was right with her news in the tea leaves. With deep regret she wint hame tae her flat and she packed up a case with twa or three things. Somehow she couldnae stay in Edinburgh ony langer. She hid tae clear oot. Her mind wis far too sair.

Withoot informing onybody whar she wis gan, Janice teen a guid sum of money oot of her bank account and she left nae forwarding address. She jist hid tae get awa and clear her mind. She wanted tae forget wha she wis and try tae tak awa the pains in her heart. Grief wis hitting her badly. She bought a ticket tae Berwick cos it seemed tae offer her a hiding place. There wis naebody there that she kent. It wis a time for her tae be alane with her thoughts and her special memories and happy times with Barry.

It wis aboot three in the aifternoon whin she arrived at Berwick. Berwick deeked sae cauld tae greet her. There wis a nip in the air. A dreich feeling came ower her. There wis a hotel nae far frae the station so she wint in there. She wint straight tae her kip. It wis a case of greeting and munting for hours tae hersel. Aifter a guid sleep she arose. Her face wis aa red and her een were very blearie. As she looked at hersel in the mirror she minded upon Martha's words, 'Ye will dye yer hair with grief.' Then she teen the scissors frae the dresser and she cut the lang tresses of blonde hair. Janice wint ootside and she found a chemist open, and she bought a dark ebony dye and she came hame tae the hotel, and she dyed her hair black with the grief she wis gan through. She didnae want tae ken hersel.

Whin she hid finished with hersel she hardly bore ony resemblance tae the real Janice Weel, the evil fortune hid come true, and there wis naething that she could dae to brighten her spirits. Usually she wis aye the calm yin and had strength in a crisis, but somehow she didnae hae the fortitude tae stand this personal bereavement. Somehow she couldnae really tak it in that Barry wis gone oot of her life forever. Her mind seemed tae be at a breaking point and she struggled with her ain sanity.

This couldnae last for aa time, this feeling of sadness. Time is a healer and she wanted noo tae prove it tae hersel. Whit aboot Katrina? Should she nae phone her and tell her aboot whit happened? No, she couldnae face her freens either. Janice decided tae wait for a while yet.

Only she could pit her ain life intae order again. Whin her time of bereavement wis ower she wid come back tae hersel.

The lassie wint oot for a walk aye night, roon by the river. The solitude wisnae really guid for her but she imagined that it wis. Her thoughts were her ain and she wis happy with her grand memories of Barry. There wis aa the plans for her wedding that hid gan aa sour and aa the bonnie claes that she bought for her honeymoon. Aa those things were in Edinburgh. Perhaps she might come back tae her auld self in a couple of weeks, but in the meantime she wid hae only her ain company.

As she came back alang the river she looked ower tae a smaa pub across the road.

Then she got a grave shock. She deeked her lad Barry coming oot of the pub and she watched him gan intae a car and drive awa. It wis real. She seen him as real as life.

With speed she ran across the road and she entered the pub. It wis a quiet place with only twa lassies working behind the bar and a couple of local lads there.

"Did ye see that tall dark-skinned laddie wha came oot of here, and did ye speak tae him?"

Een of the lassies behind the bar says, "There hisnae bin ony fella like that came in here the night or we wid hae spotted him. There his only bin these twa regular lads here taenight."

Janice looked strangely puzzled.

"Weel, I did see him coming oot of this pub," said Janice.

"I'm sorry, lass, but ye hae made a mistake," replied een of the barmaids.

Janice walked back tae her hotel and she wint intae the restaurant bit and bought hersel a cup of tea. There wis an awfy guid-looking fella worked in the hotel and his name wis Raymond. Unknown tae Janice he deeked her the first time that she came intae the hotel and he saw that she hid bonnie blonde hair. At first he thought that she wis disguising hersel frae the police or she wis on the hide frae a jealous husband or something. He thought he wid mak a first move tae see if he could help her.

"Is there anything that I could get ye, lass?" he asked her. Janice could hardly speak and she broke doon intae tears. As she wept Raymond spoke kindly tae her,

"I hae a guid ear and a broad shooder and I can be a freend very easily tae ye."

He wis genuine and Janice knew it. "I'm finished here in ten minutes, and maybe if ye want I can tak ye oot for a glass of something?"

Janice looked at him a bit amazed, but she agreed tae gan roon tae the pub with Raymond. She desperately needed somebody tae speak tae intae this strange toon.

They wint tae a quiet place that Raymond kent weel and they baith teen a brandy. Janice telt kindly Raymond aa aboot her strange story and how it wis seen intae the cups. Raymond telt her that things happened and that the cups were jist rubbish. "I can believe that ye lost yer fiance, but I cannae see it being in the cups or leaves. I dinnae ken or understand why sic a bonnie girl should hang awa and dye yer hair black cos some silly auld culloch telt ye tae!"

Then she telt him aboot seeing Barry ootside of the pub and then driving awa in a car. Raymond looked intae her face and said,

"Perhaps because of yer grief ye are beginning tae imagine things noo. It is nae uncommon for people under stress tae dae that."

She replied, "I saw him as clear as I can see ye."

Aifter the drinks he teen her hame tae the hotel and he bade her guid night. Noo, the next day Janice hid a walk ower by an auld cemetery and she felt a sense of peace come ower her. The place wis quiet and deserted. Her mind wis filled eence again with Barry. Jist as she looked ower at the other side of the graveyaird she nearly fell doon with shock. Again she saw Barry, walking alang the road.

He wis walking alang the road gan oot tae the ither side of the graveyaird. She ran ower tae whar he wis but again he wint intae the car and drove awa leaving her with a shocked look. This wis twice she hid deeked him. It wis him. She wis positive it wis him. Aifter aa, ye dinnae get engaged tae a fella withoot kenning him whin ye see him.

Her heart wis sair and she felt that she wis taking a nervous breakdoon. It wis aa far too muckle for her. Things were beginning tae upset her nòo and she didnae ken whither she should gang back tae her flat in Edinburgh or nay. She wint back tae the hotel. Raymond spotted her gan intae the hotel and he noted that she wis as white as chalk. He followed her up tae her room and jist afore she got tae her bedroom he caught up with her.

"Ye look very pale," he said tae her. "Is something bothering ye?"

"I saw him again, and this time I didnae imagine it, I really saw him. I saw him in the cemetery and he left whin I wint ower tae speak tae him."

"Perhaps ye have jist thought too hard aboot him and the cemetery didnae help maitters," said Raymond.

"I don't know what is happening tae me."

"Ye really need tae get yer mind aff of weird things. Will ye come oot again in the evening and we can gang tae see a movie or something?"

"I couldnae watch a movie, but I will go tae the quiet pub again."

"Then I will pick ye up at eight."

Raymond wint back tae attend tae his work. Janice wint up tae rest in her room. Twice she hid seen Barry and she wis feart tae seen him a third time. Wis he trying tae gie her a message frae beyond the grave? At least she hid the company of Raymond and he wis a kindly fella. That evening she started tae tell Raymond aboot her freen Katrina and how she hid left withoot as much as a by-yer-leave. She kent that her freen wid be worrying. Raymond suggested that she should phone Katrina, but she said that it wisnae time yet. Again he walked her hame tae the hotel. There wisnae a romance brooding but only friendship between them.

Aboot eleven that evening she couldnae sleep and she looked oot of her bedroom windae, and tae her astonishment she saw Barry eence mair.

He wis walking doon taewards the river and Janice ran oot aifter him. This time she wis gan tae confront this man or apparition that she wis seeing. Perhaps it wis her mind that wis playing tricks ontae her. She hid tae find oot for hersel.

Before she kent whit she wis daeing, she wis rinning doon taewards the river. Jist whin she wis near tae him, almost close enough tae touch him, he suddenly turned himsel roon aboot. It *wis* Barry. He wis wearing his same brown leather jacket, dark blue jumper and blue jeans. His hair wis as dark as ebony and he looked sae braw. Janice wis aboot tae scream but she controlled hersel.

Wis this a ghost frae the tomb that hid returned tae haunt her, or wis it but a figment of her ain invention?

Then as he came close tae her, Janice's mooth fell agape with fear, but he jist walked past her. She could hae touched him tae see if he wis real. If it wis him he wid hae spoken tae her. He didnae. She couldnae control hersel ony langer and she screamed oot tae the man,

"Barry, Barry!"

The man stopped in his tracks. Then he turned roon again. He came back tae her and underneath the light of the lamp he peered deep intae her een,

"Is that you, Janice?" he said softly.

Janice fainted with the fright that she got.

"Whit is wrang, darling? And why are ye in some sort of disguise?" he asked her.

The lassie couldnae speak. She couldnae hold hersel up. It wis as if she wis boozie.

"Are you real?" she asked with a low frightened voice.

"Of course I'm real, why should I nae be?" he asked her with a puzzled look.

She cuddled and kissed him, and then screamed oot with joy, "Ye are nae deid!"

"I sincerely hope that I'm nae deid!" he laughed.

"Why are ye here in Berwick?" she asked him.

"Ronnie Sim, me best mate, bides here and he is gan tae be me best man at the wedding," he replied.

"Come back tae the hotel and I'll tell ye the hale story," Janice said.

Raymond saw her come back tae the hotel with this tall, guid-looking man and he spoke tae her whin she came in. She introduced him tae Barry. Raymond wis amazed. "I'm glad that things are alright with ye noo."

"So am I and I have a lot tae explain tae Barry."

That time they sat up nearly all night as she telt him the horrific story of getting the dreadful evil letter informing her aboot his death. Barry couldnae understand why the oil company in Venezuela wid hae written tae her onywye, cos aa of his documents were maistly referred tae his parents wha were baith living.

"I saw it and I read it, and it was indeed well typed, dated, and in order."

"Whit did ye dae with the letter?" Barry asked her.

"It will still be intae the dresser of me room intae Edinburgh."

"We'll investigate this further whin we get hame," said Barry.

Janice asked, "Tell me Barry, why were ye nae seen in the bar whin I saw ye coming oot of it?"

"I never wint intae the bar; I only used the phone that wis in the lobby of the pub, so neen of the folks wid hae seen me."

"And why were ye intae the graveyaird?"

"I wis pitting a flooer ontae the grave of Ronnie Sim's mother, cos I wis awa when she got buried and I only got intae Berwick the day before. That wis why I wis intae the graveyaird."

Then Barry asked her, "Why on earth did ye dye yer bonnie blonde hair black like a craw?"

"It wis auld Martha wha read me fortune, and she pit it intae me heid telling me that I wis gan tae gang mad with grief, and I suppose I listened tae her. I really believed that ye were deid," she said with a low voice.

Barry became angry, "If I get me hands on the swine that did that letter, then I will brack his neck!"

The couple wint back tae Edinburgh the next day, but they did gie Raymond an invitation tae the wadding.

The first thing she done whin she got back hame wis tae look at the terrible letter. Barry examined it. It wis awful. Where could it hae bin sent frae. It wis marked and headed perfectly.

On examining the letter Barry found oot that it wis actually frae Edinburgh itsell. The stamp wis British but superimposed with a rubber stamp frae Venezuela.

Whin Katrina came in she was sae glad tae see Janice and Barry.

"Where have ye bin? We have bin worried for ye. What happened?" she asked incredulously.

"It wis this terrible letter that nearly made me gang mad, and it turned oot tae be a hoax!" Janice telt her.

Katrina deeked at the date of the letter. "Oh my, Janice, look at the date!"

It was marked April 1st.

"Ye hae bin the victim of an evil malignant joke, and the paper is frae our ain office whar we work."

"Who would have done this?" asked Janice.

"Remember that lassie ye fired, wha wis cawed Jean? She said that she wid get her ain back ontae ye, and I think that she's the culprit."

"If ever I see her I will strangle the wee trollop!" cried Barry.

"Let's pit it aa behind us. It wis a horrible experience, but it is noo over."

Katrina said, "It's terrible tae think that folks can be sae vindictive."

Janice then pit Katrina intae the picture and telt her of aa the events that happened tae her. She also telt her aboot the nice-looking fella wha helped her cawed Raymond wha wis gan tae be coming tae the wedding. Then Katrina blurted oot,

"But whit of Martha's prediction that ye will never be Mrs Granholm?"

Barry then telt Janice that Martha's prediction wis right.

"For ye see me name is really nae Granholm — that is me adopted parent's name — but I will hae tae get mairried under me ain name, Blacklaw, so ye see ye will be Mrs Blacklaw!"

Weel, the wedding come aff and she became Mrs Blacklaw. Katrina fell in love with Raymond. Everything worked oot weel — but Janice never ever let Martha read her cup ever again!

"She must hae bin an awfy silly deem tae be caught oot with something like that," said the quine wha wis listening.

Big Jimmy, wha wis listening also, said,

"I remember a fella wha hid a grudge against me, phoned up the place whar I wis working and said that he wis frae the police and that me wife and bairnies hid aa bin killed in a car crash. Weel, it nearly gaed me a heart attack and I run like a mad thing up the road tae the police station tae find oot it wis a cruel hoax. I hid a guid idea wha deen it, but I couldnae prove it. Onywye, whin I did see the bloke wha I thought really did dae it, I nearly killed him. I wis fined for it but it wis weel worthwhile for tae get back the satisfaction of battering him."

I rejoined the conversation, "Some folks can be very vindictive. Nae lang ago I saw a laddie gan tae the shops for the lassies' pieces for their morning cuppa, and he didnae ken that I happened tae be watching him. He worked next door tae whar I worked and he seemed like a fine enough loon, but whit I caught him daeing wis revolting. The gaffer hid got ontae him for being lazy and taking too lang tae go tae the shops for the rolls and milk and so did some of the ither quines. The loon got highly annoyed, and this is whit he deen, and I caught him bonnie. Aa the rowies and butter were teen oot and the softies and baps as weel, and he snorted a greener intae every een of the folk's rolls and pieces and closed them aa up again. I felt like gieing him a skelp on the lug for being sae filthy and clatty. Whit a terrible thing tae dae! Noo it wis neen of ma business whit wis gan on, but I hid a cousin working there and I telt him. Aifter aa, it wisnae cliping on the loon, but I couldnae hae it on me conscience. Perhaps somebody could hae died. Wha could eat rowies and butter with dirty bogies and green-gages on them. Noo this wis jist a young loon but he wis spiteful enough tae dae that."

"Oh, yer making me sick as a pig!" cried een of the lassies.

The gaffer cried ower tae een young loon, "It better nae be ye that deen that or yer days are numbered."

"Whit cheek ye hae! I'm nae as clatty as aa that!" he replied.

"Let's change the subject," cried Muggie.

The lassie wha I said wid dye her hair asked, "Dae ye believe in things being lucky and unlucky?"

"Yes, I do believe in things being lucky and unlucky,

cos I'm very superstitious."

"I'm asking, cos ye see, I got a pearly brooch frae a relative and whit a pure boag of a thing it is. I got it with a heart and guid-will but it's very unlucky."

"Weel, I kent of a lassie wha aye wanted a horseshoe and she creaked and creaked aifter yin until finally she got een."

LUCKY HORSESHOE

Traivellers are awfy superstitious especially fin it comes tae things that are supposed tae be lucky or unlucky. They hae hundreds of different kinds of superstitions which they keep up. It's a kind of tradition with them and I suppose it's a wye of handing doon pairt of the traditions and cultures of their folk.

Caroline wisnae an exception tae the rule cos she wis a young mairried dilly with twa smaa bairnies tae look aifter. Whit a lassie she wis tae keep a variety of objects that she thought that wid be lucky. Her gadgie Tony used tae laugh at her with aa her different type of lucky omens. Apart frae haeing sic things as icons, talismans, statues and ither kind of lucky ornaments she also aye adhered rigidly tae the rules of the superstition. For example, she widnae comb her braid aifter ten o'clock at night upon a friday, cos it wis said tae bring harm tae ony of yer folks that should be traivelling on the road that night, and it wid be yer fault for the mishap happening. She never pit sheen on a table nor pit her bed towards the door. Neither wid she gang oot by a different door frae the een she came in by. She widnae let a bairn deek its face intae a mirror until it wis six month auld. There were sangs she widnae sing and folk's names she widnae mention in the morning. If a woman wis heard whistling in the morning she wid walk seven steps backwards tae brak the spell.

Her hale life seemed tae be governed by superstitions. If she taen a gee intae her brainbox that something wis causing her bad luck then she wid scan her hoose until the offending article wis found and then either burn it or throw it oot. Many a time she taen a mentler and stripped a puckle of objects or ornaments, and she wid get rid of them. On occasion she wid gie them tae folks that she didnae like very much. Caroline was a real heid-case at times. Her man, wha wisnae the least bit superstitious, jist left her tae her ain devices.

Sometimes she wid start tae creak for something that she thought wid be lucky and she wid hae a bee in the bonnet until she got the desired object. She wis very easily led if onybody telt her that it wid gie her luck and guid fortune, she wid move hell and high water tae get it.

Een day an auld gypsy woman came roon to the door selling lucky chairms, and Caroline wid spend a heap of lowdy buying them. This auld gypsy woman telt Caroline that if she really wanted guid luck and for her fortune tae change, then whit she should get wis an auld horseshoe. Caroline telt her gadgie tae try and get her yin whin he wis oot intae the country, cos ye wid hardly get een intae the toon. Tae get the guid luck for it the horseshoe wis tae be presented intae yer hand. Tony couldnae be deeved with her silly nonsense so he never deeked for a horseshoe for her.

She telt her best freen Sissy aboot her great desire tae get a horseshoe, so Sissy telt her Harry tae get een for Caroline the next time he wis oot. Harry did gang oot tae the country and he wint tae an auld foundry and black-smith, and got a big roosty horseshoe, and brought it hame tae Sissy.

It jist happened tae be Hogmany. Whit a rare first-footing pressie it wid make for tae gie Caroline! Yet Sissy, wha wis a traiveller as weel, kind of had her ain yak upon it.

Whin the bells rang in the New Year, Sissy wint ben

tae Caroline's hoose aboot a couple of minutes aff the New Year, and she had in her hand the auld roosty horseshoe, whit must hae belanged tae a Clydesdale or some big Shire horse. Sissy chapped at the door of Caroline and Tony, and waited for tae gang intae the hoose. Usually it wis lucky tae hand the person ye were first-footing a lump of coal, but naebody hid ever gaen a horseshoe tae Caroline. Weel, whin she opened the jigger tae welcome in her first-foot, her een lit up whin she saw the horseshoe. Then Sissy pit the horseshoe intae her fingers but kind of reluctantly, and grudgingly said,

"I really wanted this horseshoe for me ain kane, but me man said that I hid tae gie it tae ye, cos ye really wanted a horseshoe for luck."

Caroline reached tae take the horseshoe, but Sissy didnae seem tae let it go freely. There wis a tug of war for the object. Caroline didnae like getting it frae Sissy with a kind of grudge. Never mind, at last she hid the desire of her heart for the moment. Tae her this wis gan tae change her luck for the New Year. Right awa, she got her man tae get the hammer and nails tae pin it up tae the waa. He says,

"Fit an ugly roosty thing tae pit up upon the waa. I'm shamed tae be seen with it hinging on oor guid living-room waa."

Sissy said, "It wid really look better on my waa."

But her man said "We got the thing for Caroline, so wid ye gie it tae the lassie with a guidwill."

Tony gets a large nail and he chaps it ontae the waa but whit he didnae ken wis that he pit it on upside doon. That wis the unlucky wye.

He hid jist chapped in the nail and pit the horseshoe up, whin the hammer fell oot of his hand and crashed upon his foot. He squealed oot like a guffy and bent doon tae rub his sair trampler whin all of a sudden the scabby roosty horseshoe fell aff the waa and crowned him. Shannish! He could deek stars aroon his heid. "Hell roast ye, and yer blearie-eed horseshoe!"he cries. "Me brainbox is knocked oot of me heid!"

Caroline killed hersel laughing. "Its yer ain fault for nae pitting it up right. Onybody with half a yak could deek that the nail is too thin for the size of the holes."

Tony felt like coming a right scud aff of her lip but he changed his mind. They aa got a bit boozie and they hid a guid time taegither and later they aa wint tae their kips.

Aboot seven o'clock in the morning Caroline awakened tae an awfy loud clatter. Tony wis too peeved tae bother himsel but Caroline thought that it jist might be a burglar, so she got up tae investigate whar the clatter come frae. She quickly deeked roon the living-room but every thing wis aaright. Her horseshoe wis securely on the waa. She kind of smiled with pride at her lucky talisman. Then she proceeded aroon the rooms and athing wis fine. She thought that it must hae bin some of her neighbours still gang aboot drunk and making a racket. She got the shock of her life whin she ventured ben tae the lavie. Oh me, the heavy pelmets ower the windaes hid fell doon for nae apparent reason, and pulled doon her expensive curtains that she hid jist newly bought for tae tidy up her toilet. Tae mak maiters worse, nae only did it tear oot a lump of plaister aff her waa but it had crashed doon upon her bath and cracked it aa the wye through. Aa of her nice perfumes and the bonnie glass ornaments were broken. It wis jist havoc intae the bathroom. She sat doon ontae the fleer and she munted tae hersel.

Tony heard her greeting, and came ben tae see whit wis wrang with her, but whin he saw the mess of everything he jist turned scunnered. She hid tae clean up aa the glass aff the fleer, and clean up the broken perfumes; the smell wis unbearable with a fusion of heavy aromas. It teen her a guid half-hour tae tidy up the mess. Then she turned on the waater tae see if the bath wis leaking and it wis poorin oot like a burn; everything started tae flood. She wint doon on her knees again tae dry everything up. Tony hid tae gang and search for a plumber on a New Year's morning tae fix the bath. Luckily he had a spare bath intae his shed, but he hid tae pay an airm and a leg tae a plumber tae fix it. Whit a scunnering morning they were haeing...

"It's ye and yer unlucky horseshoe!" cried Tony, but Caroline widnae hear onything wrang said aboot it.

Then, jist whin that wis fixed up a wee laddie comes tae her door and says,

"Ye hiv tae gang roon tae yer Da's hoose immediately."

She pit on her coat right awa for she thought that her da hid taen nae weel. Well, whin she came intae her da's hoose it looked like a midden and everything wis torn oot of een anither.

"I've jist bin robbed of aa me lowdy and me kane his bin ransacked!" he says tae her.

She could hae screamed oot of her. The hornies were sent for and she hid tae answer lang questions aboot whit time they came roon, and whit time did they discover the crime. Seemingly the auld man hid wint oot first-footing and bade with een of his ain laddie's aa night, and whin he came hame in the morning the hoose hid bin broken intae. Anither twa hours cleaning her faither's hoose: the peer lassie wis mauded with work, and it wis still only dinner-time of the New Year.

She wis fair knackered by aifterneen. Whin she came

hame tae her ain hoose, Tony hid gan oot tae see his mates. He forgot tae pit the fireguard ontae the fire and a spark hid came oot and burned ontae her expensive carpet. It hid smoldered for aboot half an hour as weel, and her hoose was fair reeking of the maist horrible smells. Eence again she broke doon and grate tae hersel. Her freen Sissy came in and she talked tae her aboot aa the incidents that were happening tae her: Sissy wis very understanding. She telt Caroline tae gang and tak a hot bath tae relieve her frae the tension and she wid mak a strong cup of slab tae calm her nerves. Whilst Caroline wis intae the bath a horrible peeping-tom came up tae her verandah windae. Unknown tae her he wis leering through the lavie windae and deeking her up and doon. She closed her eyes tae relax hersel, whin the intruder opened up her window and made a grab at her. She nearly choked stone deid with the fleg she got. He held his grip, and he tried tae stap his hand on her mooth. Somehow she managed tae scream, and jist by luck a neighbour saw the peeping-tom and chased him across the backies, but he escaped. The lassie couldnae speak for fear and shock.

Eence again the hornies were sent for. It wis the same twa bobbies again. They said tae her, "Ye're fair starting aff a guid wye for the New Year." Then they teen aa of the particulars. Mercy me, whit mair could gang wrang for her!

Intae the evening the couple were sitting quietly in front of their ain fireside nae minding onybody's business whin a keelieoshiek broke their door doon with an axe and came in with murderin prattle, and started tae brak their furniture. Wha on earth wis this balmstick? Suddenly he stopped and deeked at the couple. A look of horror wis on their faces as they thought that they were gan tae be mooligrabbed. The strange madman stopped and he said,

"Ye're nae Katie!"

Then he deeked aroon the hoose and says, "I'm very sorry folks, I thought this wis my hoose but I've made a mistake!" Aff he rins leaving the hoose in carnage.

Eence again the hornies came in. "This is the third time we hae bin sent for." They were a different pair of hornies.

"Ye must surely be very prone tae getting intae aa kinds of trouble," een of them says.

Caroline wis inae a state of confusion. She thought it wis a nightmare that she wis in and that she wis gan tae waken up oot of it ony minute.

Then Tony screamed,

"It's that awfy unlucky horseshoe that ye hae pit up ontae the waa. We hiv hid naething but ill luck since ye brought it intae the kane."

"Don't be stupid!" cried een of the policemen.

Then the ither hornie says,

"Nae wonder ye dinnae hae luck with the horseshoe, ye hae pit in on yer waa upside doon. That is said tae be unlucky, but we dinnae come oot on calls of ill-luck. It's jist a bad spell ye are getting."

The hornies left and Caroline and Tony teen a tipperary turn at een anither. Ye wid hae heard them screaming tae each ither from as far as Foggiloan.

Then Caroline in a mad fit of rage tore the horseshoe aff the waa and she ran doon tae the backie and she says,

"Ye evil scabby horseshoe, ye winnae cause nae mair hairm for me this night," and she chucked the horseshoe as far as she could throw it intae the night.

A busy-body neighbour wis deeking at her when she chucked it. Weel it wint crash intae a tough wifie's windae and broke it. Caroline rin upstairs so that naebody wid ken it wis her, but the busy-body mannie wint up tae the tough wifie and cliped ontae her. The tough wifie wis gan tae batter Caroline, and eventually the hornies were sent for again. By noo they were in an awfy bad mood and they roared at her and her man like naething on earth.

"Jist because ye have hid a bad time disnae gie ye the right tae brak ither folk's windaes!"

The hornies cautioned them and telt them that they wid be pit on a charge if they didnae get the wifie's windae fixed right awa. Tony hid again tae pay a handfae of pounds tae get a mannie tae come oot and fix it that night. Whit a dreadful day it wis for them, and that wis jist the start of the New Year. Everything that wint wrang for them that year they blamed it ontae the horseshoe.

Never again wid Caroline or Tony let a horseshoe came intae their hooses.

Whether ye believe on things being lucky or unlucky is beside the point, but the thing is if ye want tae pit up a horseshoe ontae yer waa, remember tae pit it the right wye up or ye might end aff with ill luck like that which befell Caroline and Tony!

"I believe in things like that," says the quine.

Muggie added, "Lassie, ye mak yer ain luck really.

Everything purely depends upon yer circumstances, as I'll tell ye aboot noo."

JOHNANN

Jessie wis far on with the bairn and her man Innes was fighting in the war. The war hid bin gang on for aboot six months, and Jessie decided tae move frae Turriff intae Aiberdeen so she wid be near her sister Molly until her confinement wis ower. Tae her great surprise, her sister Molly hid moved awa frae the toon tae the country. Peer Jessie hid nae hoose tae bide intae so she hid tae gang tae the mission home at the Brig o' Balgownie tae get shelter. It wis while she wis biding there that her wee quinie wis born.

This wis her first wee quinie so as her man wis awa she wid hae tae register the bairn. Noo, Innes aye said tae her if it wis a boy, tae caw it John; but he never picked oot a name for a girl. Jessie didnae ken whit tae caw her, but a friend she met in the home wis cawed Nan, so she decided tae name the bairnie Johnann. It wisnae an awfie common name, but that wis the name she cawed her onywye.

Circumstances were very hard for Jessie and her three bairnies. Eventually the Toon gaed her a hoose intae the Castlehill Barracks' big square. It hid twa rooms and a scullery, but the lavie wis doon in the ootside lobby. Strangely enough the water also wis oot in the lobby, it wis a communal een and aa the folks shared the same taps. If ye wanted a bath then ye hid tae gang doon tae the wash-hoose. Weel, this wis a great respite tae Jessie wha never kent much aboot luxuries. She soon settled in and Johnann started tae grow up in the Barracks. Whin she wis auld enough she wint tae Commerce Street school and then Hanover Street school.

Noo, Johnann wisnae the brightest of bairns but she wis able tae cook, clean and iron, and help her mither a lot with getting the messages and washing the claes. Her mither wis very stout, and wis ill a lot of times so the wee lassie learned tae dae practical things aroon the hoose.

Johnann hid problems with her eyesight and also with her ears. She aye hid tae get her ears syringed and she also attended the eye institution.

By the time Innes came hame Johnann wis nearly five year auld. Weel, he absolutely doted on this bairnie but he didnae hae muckle time for the ither yins. Jessie sometimes taen a spite against the wee lassie, cos her man showed a lot of affection for Johnann and little for hersel. It wis understandable that Jessie sometimes felt pit oot ot things, cos life wis hard for her. Nevertheless she taught Johnann tae be a decent clean-living lassie and as she blossomed intae a young woman she remained guid-living.

Whin the time came for her tae leave the school she didnae hae ony kind of academic qualifications but she could apply hersel tae work; she wis never idle and gave her mither her pay packet unbroken. The things that gaed her setbacks were maistly tae dae with her een, cos she couldnae see properly or sometimes couldnae hear right whit folks were saying tae her. Whin she teen a job intae the Cinema Hoose she settled weel intae that employment cos the darkness wis cool ontae her een and she could dae the job fine. Noo, she could count very weel and liked selling the ice-cream and drinks. Daeing that job she met in with een or twa laddies wha wid ask her hame but that wis as far as it wint. She didnae really gang aboot with a steady boyfriend.

At the age of eighteen she wint for a job as an assistant cook at Kennaways Tearooms in Union Street and she liked learning tae cook. The chef wis an awfie fine man and he passed on a lot of his skill tae her, and she wis a guid learner.

Een night, as she wis coming hame frae her work, she came aff the bus and met a laddie wha hid bin tae Hanover Street school with her. Their souls seemed tae touch een anither and a strange bond seemed tae be atween them. They hidnae seen each ither for years but it seemed as if fate hid brought them taegither.

The fella, whas name wis Sandy, wis an awfie shy laddie but he taen the courage tae ask her oot.

He wis a lang, gangling loon wha worked in the fish. He came frae a big traiveller family and suffered frae a kind of inferior complex. Yet with Johnann he felt very comfortable and this wis maist unusual for him, cos Johnann wisnae a traiveller, but a scaldie lassie, and he didnae really mix that much with toonzers.

He walked the lassie hame and they baith spoke in the

lobby for aboot half an hour; whin her mither, Jessie, came intae the lobby, Johnann introduced Sandy tae her; but then Innes came doon the stair bawling his heid aff, so Sandy left.

They met on the Friday night, cos that wis her night aff, and Sandy taen her tae a cocktail lounge in George Street, and they baith hid a couple of drinks; none of the twa of them really drank alcohol, but it seemed very nice tae them baith. Johnann always had nice claes and she looked aifter them, while Sandy didnae hae very guid claes and I suppose he wis a bit of a scruffbag. At least he wis guid-natured.

The twa were very happy taegither and Johnann wid come doon tae see her lad playing with the Gordons T.A. pipe band and baith of them liked tae gang for lang walks or visit historical places.

But Innes didnae like Sandy at nae price. This wis his quine, and he didnae like her gan oot with a traiveller, but Jessie didnae really mind at all. Whin Sandy wis invited roon for his dinner, Jessie sorted things oot nae bad, but Innes made Sandy feel very uncomfortable. Whin Sandy telt Innes that they were getting engaged, there wis a strange silence; but he hid nae ither choice but tae accept it, cos it wis Johnann and Sandy's decision. Her mither asked her if she wis pregnant, but she reassured her mither that she didnae play hankie pankie.

Sandy's folks thought it wis strange him gan aboot with a scaldie lassie whin there were plenty of traiveller lassies; traivellers dinnae tak tae ootsiders in their faimilies.

The young couple hid a fine engagement party and there were as many scaldies there that night as there were traivellers.

It wis a fine evening, and everybody mixed weel. Jessie bought a cake and three trays of fancy cakes, and Sandy's folks pit on a really guid spread. Sandy's faither bought a heap of drink and the night wint doon amazingly weel. At least the ice wis being broken a bit, and even Innes behaved very guid. The couple picked oot the following year for the wedding and the young folks saved by every penny.

In those days Johnann got on very weel with Sandy's folks, his da liked her, and he aye gaed her sheen and frocks every time he sorted oot his pack.

They got hitched as they planned and everything looked rosy for the twa, but nature taen a spite at them. While on their honeymoon Sandy taen a massive haemorrhage frae the stomach and he wis rushed awa tae the hospital. With nae working and being in the hospital there wis nae money in the hoose. Johnann hid tae sell nearly aa her bonnie wedding presents and only received coppers for them. Whit a very difficult time for her as a young bride!

Sandy wis seriously ill and whin he came hame he wis as white as a sheet. He wint back working in the fish, and Johnann fell pregnant right awa. She wis very happy tae be expecting and they baith looked forward tae the birth of their bairnie. The wee roomie in Sandilands Drive wis packed oot with things but they lived contented with their lot. Some folks cried them peer craturs, but they were happy.

Then jist aifter the birth of their second child, Sandy taen burst ulcers and needed a big operation. It wis a case of nae work and very little coppers. Johnann used tae gang roon tae her faither-in-law's hoose, and get rags to sell tae the ragstore, and she wid collect beer-bottles and sell them tae the bar. It wis shaming and humiliating but she provided for her bairns. Whar there wis a will there wis a wye.

They didnae hae naething whin they got a hoose in Mastrick, but Johnann wis very enterprising and she aye hid meat for her bairnies.

Sandy never hid great health and he aye hid tae gang tae the hospital. While on the ither hand, Johnann hid good health, only her eyesight wis a bit poorly. Sandy's mither often slipped Johnann a copper but she really wisnae pairt of that faimily. Ye might say she wis tolerated. The faimily wid speak taegither aboot faimily maitters and whin Johnann came intae their presence the subject dropped. She wis nae tae be privy tae ony faimily news.

Then Nancy Piddleton came intae the faimily and Johnann wis dropped like a ton of bricks! Nancy wis a traiveller and the auld man adored her; he never hid time for Johnann after that. She got nae mair sheen nor frocks nor onything frae the auld man. Her mither-in-law still wis kindly tae her, but it wis Nancy Piddleton wha wis the favourite. She got mats, dresses, and slipped a bonnie puckle pounds frae the faither and she opened her big mooth in aa the faimily affairs. Johnann wis noo being shunned. Whin Nancy's bairnies came along then they were the favourites.

Johnann gave all her attention tae her bairns. There wisnae a mair gifted mither in the world. Yet her man's folks aye cawed her clatty and they didnae really like her cos she wis a scaldie. Sometimes they cawed her the poorest of poor scaldies. Nancy of course wis the bee's knees. Aye, it's easy tae bake whar there's meal. Een day the auld man wis up intae a relative's hoose and he praised up Nancy how clean and guid she wis but the lady says, "Remember ye hae anither daughter-in-law wha disnae hae the money, and she keeps her bairnies weel, and I think she is a far nicer lassie. Aifter aa, the ither gets paid weel enough for her jeer."

Favouritism is a bad thing amongst faimilies. Een Christmas the faither gaed Nancy a new mat and a five pound note, and tae Johnann a one pound note for her five bairnies.

Johnann hid five wee yins clean aff the reel and she wis healthy, and sae were the wee yins. Then the doctor telt her tae gang on the pill.

It didnae agree with her system and she wis very ill with it. So she came aff it, and she lost three pregnancies in succession; when at last she fell expecting again, the doctor telt her that the bairn wid be born deformed. She insisted on keeping the pregnancy, and despite aa the doctor's predictions she hid a beautiful healthy girl. It shows ye that doctors are nae aye right.

As for haeing accidents, it jist wis nae real!

Een morning she wis walking doon Union Street with her five bairnies whin a car sped by, and it hit a large camp-hook that wis lying in the road. It flew like a bullet and wint clean through her foot. It wis corkscrewed and it couldnae be pulled oot. An ambulance came and she hid tae get an operation tae remove it, and she lost the feeling in that foot.

Anither time she fell off a chair while changing a bulb and she broke every bone in her left arm. The doctors thought that she wis hit by a car! It teen ages for that arm tae heal, and it wis plastered in a twisted motion. What a difficult time that wis for her, yet still she coped with looking after her man and bairnies.

Then came a good time in her life. She wis left a little money. A holiday wis booked in Spain with her man and daughter. Everything wis paid, and on the day of departure Sandy finished early frae his work and his friend wis driving him hame. A deep nagging feeling kept going through him. As his friend wis driving him home he said,

"Cheer up, you're going away tae Spain," tae which Sandy replied,

"I winnae get tae nae Spain this night."

His friend thought it strange; but as they were driving hame Sandy saw an ambulance away at the top of a road and he told his friend tae stop because it wid be for him. He wis right. Johnann wis all dressed and ready tae be away, whin she decided tae get chips for some of the lads that were staying in the hoose. Her youngest wis already at hame, jist waiting for her mither tae come back frae the chipper. Johnann had tried tae cross the road but the sun hid blinded her — mair than she already wis. A car came speeding by, and lifted her eight feet intae the air and carried her for forty yards.

The butcher near by saw it and thought that she hid bin killed. She never lost her consciousness. Whin Sandy arrived she looked at him and said,

"Never mind me, I'm alright. Take the wee lassie awa tae Spain."

Sandy felt deeply sad for her. Johnann kept pleading for Sandy tae go awa and never mind her, she wis alright and she would get hame in a couple of days.

But whin it came tae the damage done, weel, she had broken her right leg in five places, her pelvis, five ribs and head injuries — she had the works. She told the police it wis her fault and not tae charge the laddie that knocked her doon. The sun hid blinded her.

Two days later that same young laddie sent a bill of a hundred pounds for damages tae his car! It took Johnann a year tae walk again and she wis left with permanent damage on her body and a huge lump on her side. Her eye-sight deteriorated and she was deafened.

A pub in Aiberdeen heard of the terrible accident and they wint tae Sandy's solicitor, and handed over the money for the bill. The lawyer then paid the young man, and told him he wid hae nae mair claims. The lawyer widnae tak ony fee from Sandy cos he said it wis the maist unfair case he hid ever seen. Johnann refused tae counter-claim cos she said that she hid laddies of her ain and she widnae like tae see them in trouble even though the lawyer told her that her injuries were caused by a car doing well over thirty miles an hour. Johnann wis a woman not tae hold grudges — she's an ordinary woman who his brought up a large faimily under difficult circumstances, yet aa her bairns are a credit tae her for their upbringings and teachings.

Overall it wisnae a bad day and the company again wis fine tae work with. The gaffer wis a fine man and naebody minded ye as lang as ye deen yer work. Some places didnae like ye speaking but ither places didnae care less.

At the end of that day the boss of that place paid us aa there and then. Noo that wis a maist unexpected pleasure. He wis a Christian man and he thought that the labourer wis worth his hire and therefore needed tae be paid whin he wis finished the work.

I said cheerio tae aa the folks and it wis jist aboot five o'clock. Weel, I bought mysel a twenty of fags cos with the money I got I felt quite flush. It made me feel like Airchie. Whinever I got intae the hoose and me supper I asked me guid-mither if she wid watch the bairnies for us so we could go oot tae the pictures.

That evening me wife and I wint intae the Capitol Cinema and watched an auld film cawed *Wuthering Heights*, and we hid plenty of fags, sweeties, ice-cream, aye and chip and haddock suppers coming hame at night. That day began with haddocks and ended with haddock so it wis fairly a Haddock Spring Holiday.

CHORIN CUTLETS

It is said that if ye wint doon tae the fish mairket in Aiberdeen and shout 'thief' then aabody wid turn roon. Believe me there wis a lot of chorin wint on inside the fish-hooses frae petty pilfering tae organised stealing. Noo I wis lucky that aa the bosses I worked for wid gie ye a fry if ye asked them for een, so it wisnae worth making yersel a thief for sic a silly thing. Yet I hae seen an awfy amount of fish gan oot the door and naething said. Nae only did some folks tak fish, they teen money oot of yer pockets, fags, knifes, boots and onything else they could get their hands on.

Noo, aye night I wint roon tae work in a big place that deen a lot of cutlets. Cutlets are block fillets that are dyed and smoked and I suppose they are quite nice if ye like yella fish. The place wis reeming fu with smaa haddocks tae mak intae cutlets so I got stuck in tae them right awa. There were three ither traiveller laddies working there as weel, so we aa got on weel enough. With the gaffer nae working that night and the boss being awa everybody were helping themselves tae fries of yella cutlets. Personally I didnae want ony, cos I aye hid enough fish in the hoose so it wid hae bin jist greed. Secondly I didnae hae a fridge so it wid hae only smelled up me room tae the high heavens. Fish gangs aff very quickly and his an awfy stench.

Maistly, aa the wifies bar twa taen big fries and stapped up their message bags roaring fu, and the lads were pitting massive fries intae their pooches in the bothy. Seriously, I couldnae mak mysel oot tae be a thief. The chorers aa justified themsels with saying things like, "That will mak up for the wages that I wis cheated oot of last week," or different things like that.

Whit wis I worrying mysel aboot folks taking fish cos it wis nae skin aff of my back. Folks hid their free agency tae dae whit they wanted tae dae. Een of the ither traiveller fellas telt me he wis getting mairried soon and that he kent he wis gan tae get blackened by his ain fish-hoose workers cos it wis traditional. He wisnae worrying himsel, and thought it wis aa jist a bit of sport and fun.

I speired tae him if he wis getting hitched tae a traiveller dilly or a scaldie quine and he replied a traiveller lassie.

His pal turned roon and said, "Mug, I widnae get mairried until I hae enjoyed ma life, and I wid never ever mairry a traiveller."

An irritation wint up me spine whin he said that, cos I didnae like hearing traiveller lassies get spoken doon aboot. "Whit maks ye sae special that ye widnae mairry a traiveller lassie? Ye wid be lucky if ony lassie at aa wid tak ye, cos ye're an ugly guffie and ye hae a face of scabby plooks."

He replied quite impudently, "traiveller quines hae nae gumption aboot them."

"There are some very nice traiveller lassies and they are jist as bright as the scaldies," wis me reply.

"Then why did ye nae mairry a traiveller dilly yersel? I noticed ye mairried a flattie."

"Weel it's jist the wye things worked oot, but I wid never pit doon traiveller lassies. I like me ain kind of folks."

"Weel I hae me choice. I winnae mairry a traiveller."

Then I wint on tae tell him aboot a freen of mine wha

hid the same kind of an attitude problem.

DAE YE LOVE ME JIM?

Jim wis brought up with aa the wyes of the traivellers but somchow he dinnae like ony pairt of their culture. He preferred the wye of the non-traiveller. I suppose that there wis perhaps a bit of stigma being associated with the traivellers and as it wis the fifties some of the young yins wanted tae change tae the wye of the toonzers. Jim jist didnae want tae hae the traiveller's wyes and he hid decided that he wid change completely. He got a guid job intae a large factory in the toon of Aiberdeen, and he saved by like mad for tae get things and tae try tae improve himsel according tae whit he thought wis the better of the twa worlds.

Jim's best freen wis Danny wha also wis a traiveller laddie but he didnae tak sae kindly tae the scaldie wye of life. Danny coorted with a traiveller lassie and he wis very happy with her. Noo, on the ither hand Jim couldnae be daeing with traiveller dillies. He aye said,

"I wid never get mairried tae a traiveller quine."

This used tae annoy Danny cos he didnae think that scaldie lassies were ony better. Scaldie lassies were mair brought up with the wye of the toonzers but ye really couldnae tak them awa oot camping in the summertime or speak tae them about auld fashioned things. Danny aye thought that it wis better for traivellers tae stick with their kind.

Then Jim did find a scaldie lassie frae the Broch and fell madly in love with her. She wis a real beauty but she wis a lassie wha hid her ain wye of daeing things and she wisnae the type of deem wha wid dae whit she wis telt. If she decided nae tae dae something then the devil himsel widnae shift her frae her wyes.

Danny wis the best man at the wedding and whit a rare show of splendour it wis. Dora, whit wis the lassie's name, wanted aa the best for her wedding and Jim spent a guid few rege upon it. Weel, his faither pit a guid lot of lowdy ontae it as weel for the sake of keeping up appearances in front of his ain hantel. There were very few traivellers invited tae the wedding, yet it wis a splendid show and the whole ceremony wint weel.

Aifter the wedding the couple set up hoose intae the Broch and Danny never heard frae them for aboot six months.

Then it came tae be that Danny got a job tae work in the Broch for a couple of weeks and he thought that it wid be a fine time tae look in by Jim and Dora. He imagined the kind of hoose they wid hae cos Danny kent that Jim hid pit a guid few rege intae it. Danny got invited by Dora and Jim tae bide intae their hoose and he accepted the offer. He got the shock of his life whin he entered the kane. Whit a clatty hoose! For aa her stuff tae be sic new it looked as if it never ever hid seen a duster. There wis an awfy shan stoor as weel like washing that hid bin lying sae soor. Jim deeked kind of embarrissed whin Danny came intae the kane.

Dora sat in the new settee, whit already looked sae manky, and she hid her hair in curlers and she hid on a night goon. Her hands were fair broon with fags and she smoked non-stop. She wore a pair of tartan baffies on her feet. She wis loud-moothed and telt Jim tae mak some food for them. Jim like a wee lamb wint awa and made some. Dora wis a jewel tae Danny but she wis very lippie tae Jim; her fireside hid ashes right oot tae the new carpet and the front of the new mat wis covered with tabby burns. As she wis speaking tae Danny she constantly kept a fag in her lip and then whin it wis finished she threw it frae her chair and it missed the fireside and fell ontae the carpet. Rather than pick up the burning tabby she jist let oot some curses and sort of stretched hersel ower the chair and tried tae stamp it oot with her fit. The carpet wis getting destroyed and she didnae care a button. Jim never said a word tae her but Danny felt like gaeing her a bat on the lip for being sae careless. Obviously she couldnae care less for her hoose or property. Weel that wis only the first day of Danny's stay with them. He kept thinking of Jim's words, 'I wid never mairry a traiveller.'

Danny thought tae himsel that as he didnae get a very great wife perhaps a traiveller might of bin better than this lazy clatty dilly he got for a wife. He felt sorry for Jim but he hid made his bed and noo he wid hae tae lie upon it.

Jim got a job working on the roads and he hardly got a right piece tae eat cos she couldnae be bothered making onything. Yet she cooked alright for Danny even if she didnae care aboot her man.

On the friday she didnae hae a penny intae the kane and Danny was sitting intae the hoose. He already hid his dinner frae a canteen, but he came back tae the hoose cos he hid a half day. Jim also wid be coming hame for his dinner. It wis half past twelve and Danny deeked tae see whit kind of a dinner Jim was getting.

"I hae nae money tae mak dinner for Jim," says Dora.

"The man's bin working aa day, he'll hae tae get something tae eat," Danny said.

She gaes ben tae the scullery and there wis one egg in the fridge. She teen it oot and pit it intae a pan of cauld waater. She pit on the gas but there wisnae ony gas intae the meter. Back she came intae the living room and lit up anither steamer and sat doon. She says,

"There's nae gas in the meter."

Danny realised whit a complete dinley she wis. There wisnae muckle cleverness or enterprising wyes aboot her. He wint ben tae the scullery and got a kettle and he brewed some tea ower the open fireside. It wis the very poorest slab that ever wis made. There jist wis naething in the hoose for peer Jim. Whin Jim came hame he handed ower aa of his wages tae her and she gaed him a kiss whin he gave her the lowdy.

"Whit's for dinner?" says Jim.

"It's a boiled egg," she said.

"That's nae very much, but it will hae tae dae me, I suppose."

Weel, she proceeded tae tak the raw egg oot of the pan and pit it intae an eggcup. Whin he broke it with his knife it fell like a bag of spewings ontae the table. He wis mad.

"I'm nae a juckal that I can eat raw eggs!" he snorted.

Danny gaed him a cup of the stewed tea. "There's nae need tae be ratty," cried Dora, "I didnae hae nae money tae buy onything wi."

"Weel, I'll be working in mid-street doon a hole in the ground. Wid ye kindly get some meat tae me for me half-past-two break, cos I'll be starving."

Jim went awa tae his work and Danny accompanied Dora tae the shovers. Firstly she bought make-up and a heap of fags and then she wint intae a cafe and had a nice tea for her and Danny. She flootered and she flooched roon aboot aa the shops in the Broch and at lang last she decided tae get something for Jim's break. Weel, she wint intae a baker's shop and she bought a pint of milk and twa dry baps. There was naething upon them. And this wis for Jim's break. The road in mid street wis getting some kind of thing sorted doon in it and Jim wis working like a black. At lang last she showed her face above the hole whar he wis working.

"I hae got a nice piece for yer break," she says.

She threw doon the twa baps and the pint of milk. Jim fair thought that he wis getting something fine tae taste his mooth and whit a disappointment he got whin he saw the baps and milk. He shouted up in a rage,

"Are ye completely dumpish? Could ye no hae got me a hot pie and a flask of tea instead of scabby baps and milk?" Dora jist laughed doon at him and started tae say silly wee things tae him and then she says,

"Dae ye love mi, Jim?" Jim was very irate but he hid tae settle doon whin she said that. She blew him a kiss and she wint hame tae a nice tea.

Somehow Jim never got onything fine and his hoose wis aye like midden.

Danny came hame tae Aiberdeen aifter the twa weeks work there wis up. He felt kind of shan seeing his best freen being made sic a balm of with sic a stupid, gormless dilly.

Weel, nae lang aifter that Dora run awa with a scaldie fella and she wis never seen again. She left Jim with a heap of chucky books that wid fear ye cos she chuckied every shop intae the Broch. Jim wis never sae shamed tae death in aa his life as with her.

Danny came hame and soon he mairried a beautiful traiveller blone cawed Sarah. They hid a fine wye of daeing.

Noo it happened tae be that Jim came in tae see Danny at his hoose and whit a spotless kane he hid. Everything wis in its place and yet he felt completely at hame. Here wis a traiveller lassie wha wis a beauty and a great wife and helper tae her man.

Jim then rued the time he ever said the fateful words,

"I wid never marry a traiveller lassie."

At the finish of the story the lads were baith gan intae stitches of laughter. "Weel, perhaps ye are right and I shouldnae be too hard on Traiveller lassies. I'll jist mairry wha I'll mairry," said the fella.

Then een of the scaldie fellas cawed Cliffie shouts oot, "Dae ye ken a traiveller deem cawed Delores? Cos ye see I met her in the Palais last week and she wis standing like a wallflower on her toad so I asked if her she wanted tae dance. She looked at mi upside doon and the big-heided cratur says tae mi, 'All the boys in the Palais fancy mi, but sir you have scored the jackpot.' I wis supposed tae be chuffed wi masel. She deen a slow dance wi mi and I kind of smooched up tae her an her breath smelled of cheese and onion crisps. I never met sic a tiresome deem. She telt mi she wis a staff nurse at the Royal Infirmary but she wis jist a fish-packer. Tae mak maitters worse she hid a hale dose of septic fish warts on her wrists, and aifter gan aboot wi her for a week, she infected mi ain hands wi them. Noo I hae a plague of them, and I hiv tae get treatment frac the doctor cos they itch like the living wind."

I asked him how lang he wint aboot wi her and he said aboot three months. "But I will say this. She wis a decent quine and she didnae play ony kind of hanky panky."

Wi aa kept on working awa at the cutlets and there were mountains of fish tae get cut.

The conversations kept changing and then leading intae ither stories. By late on I wis ready tae tell a story tae shove in the time and brak the boredom.

HELGA  — A German War Bride

The war wis nae lang ower and Sammy Sinclair found himsel serving with his regiment in Germany. The toon of Hamelin, the famous toon of the Pied piper, wis whar he wis stationed and he wis very fond of the place but he did miss the city of Aiberdeen. Being a woodside loon he missed the smell of the Scottish mountains and the Doric language that wis spoken in his home toon.

It sae happened aye night that Sammy wis awa tae a dance in Hamelin and his wis a wee bittie tipsy. He wisna aa that boozie but wis jist feeling happy. As he walked doon by the river Weiser he thought upon the poem, *The Pied Piper* and he started tae recite a bit of it.

He wis speaking quite loud and being caught up with the spirit of the poem, whin he suddenly stopped. He had forgotten the words. It had been a few years since he recited over parts of it.

Then a low-toned lovely voice joined in with,

'...*a queer long coat from heel to head,
was half of yellow and half of red.*"

Sammy turned aroon quickly and tae his surprise, a very beautiful frauline wis walking not far behind him.

She was medium height and slim put-up with a mid-brown colour of hair that was shoulder length. Her face wis enchanting and her eyes were very dark and her eyelashes very long.

'What a pretty girl,' Sammy thought tae himsel.

"Why have you stopped reciting the poem? You were doing it marvellously!"

Sammy was a bit embarrassed and replied, "Ye see, I was jist thinking on my school days at auld Aiberdeen school and the poem kept rinning through me mind."

"You have a most unusual English voice. What part are you from?" she asked.

"I am nae English. I am Scottish and I speak with an Aiberdeen accent."

"It is very nice and if you speak slowly I can pick up most of it."

The ice wis broken between them and they continued tae walk doon the road taegither.

"Whit is yer name?" Sammy asked her, to which she replied, "Helga Muller."

"Oh, that's an awfie bonnie name."

As they walked along a strange sweet sensation seemed tae be whirling through them and their ain chemistry wis mixing taegither.

They spent aboot an hour chatting taegither and Sammy picked up the Scotch courage and asked her if he could perhaps see her again.

"Yes, I have enjoyed speaking to you even though I cannot always understand what you are saying. I was taught English just before the war and I was in England for two years. It's a pity that the war ever happened."

"Wid ye like tae gan oot tae a dance or something?" asked Sammy.

"No. I never go to the dances but I enjoy the folk dancing. I am a museum and library girl myself and I do not drink either."

"I love looking at auld castles as weel and I am really nae a drinker either. I only got drunk taenight because I wis very lonely, but you will never see me drunk again."

A few outings taegither made them become very close and they enjoyed being in each ither's company. Then on one of their trips everything seemed tae be very romantic with the river flowing sae bonnie and the sun wis shining and Sammy popped the question tae Helga. He wis a shy kind of fella and he wisnae whit ye wid caw a really handsome lad, but a comely-looking kindly laddie. He hid dark auburn hair and nice straight teeth and he suited his uniform. Weel, he asked; and a short pause wint between them.

"Yes, I will. Of course I will be your bride and proud to be the wife of a fine Scottish soldier."

Sammy let oot sic a yowl that Helga thought he wis taking a mad turn.

"I'm the happiest man in the world! I will go right awa and see the officer in charge and we'll get hitched as soon as possible."

Noo, his officer wis a dour kind of cheil and he telt Sammy tae consider very carefully aboot his decision. Aifter aa, the war wisnae lang ower and he wid be taking a German wife back tae anither kind of culture. Many folks wid hae grievances with the Germans and she widnae be very popular. Sammy listened carefully but made the choice that they wid get hitched.

The twa got mairried, and they were very happy taegither, and soon the time came for Sammy tae get demobbed and he wid gang back hame tae Aiberdeen with his new German war-bride. Aa his folks kent aboot her and he thought that everything wid jist be honkie-dorrie for them intae Aiberdeen.

Noo, Sammy's mither wis a queer culloch and she aye wanted Flossie McPhee tae be her daughter-in-law but Sammy wisnae aa that keen on Flossie, she wis a real daft kind of quine, and though his mither and her mither aye wanted the family tae unite it wisnae tae be so. The mither wis a bittie peeved aboot her loon mairrying this German frauline. Flossie McPhee wisnae a match against Helga. Helga wisnae yer typical looking frauline with the blonde hair and blue een, but wis indeed a raving beauty and cultured. Her mainners were mild and she wis very clever as weel. She hid done a bit of nursing and she wis an excellent dress-maker. In fact she made aa her ain claes and she aawyes wis weel turned oot.

There were twa brithers and een sister biding in the tenement hoose in Woodside. It wis hard-up times and everybody needed tae pit their shooders tae the wheel. Sammy's aulder brither wis cawed Jocky and his wife, Elsie, and they were dying tae see whit kind of quine this German dilly wis gang tae be. His younger brither Tommy wis twelve but a dumpish, irritating laddie. Sammy's best pal, Jimmy Johnstone, often came ower tae the hoose as well.

On the day of their arrival there wis a queer kind of atmosphere in the hoose and ye could cut it with a knife. The auld mither teen in a wifie frae doon the street wha's laddie wis wounded intae the war and it left him a cripple. A cauld welcome wis given tae Helga with a deid-fish handshake frae the faimily. They were aa glad tae see Sammy but Helga wis definitely given the cauld shooder.

She wisnae stupid and she could feel the resentment, but she never let it bother her and Sammy kept his airm aroon her tae reassure Helga that he loved her.

Their room wis a little pokie place with jist a bed and a wardrobe. Helga had some expensive ornaments frae Germany and she displayed them nicely. The lassie wis refined and spoke perfect English.

Maistly Doric wis spoken and Helga had great difficulty in understanding the lingo, whereas Sammy spoke slowly tae her and sometimes hid tae tell her whit they were saying. The mither didnae tak at aa tae Helga, but the sister Mary wis aright tae her. Naebody liked her cos she spoke sic guid English and the younger loon aye wis annoying her with saying, 'achtung' every minute. He sung anti-German war songs and came oot with words tae her like Gestapo, Nazi, concentration camps and Hun. This wis getting up Helga's nose but she bore the insults patiently.

There wisnae muckle work in Aiberdeen at the time so Sammy got a job oot on a fairm in Inverurie, but he only got hame een day a week. This wis very hard for Helga. She kent that Sammy adored the ground she walked upon but whin he wisnae there it wis difficult for her, nae only with the language, but with the feelings that the ithers hid for her. Nevertheless she coped well.

Then a day came whin the mither said tae her,

"Dae ye nae fancy taking a job, and that will get ye oot of me feet aa day and it will help tae supplement Sammy's wages."

Helga felt she wis imposing on her.

"Of course I will take a job and help my husband."

Then the mither snorted, "Weel, be quick aboot it!"

Flossie McPhee came up tae the hoose tae see the auld woman wha doted upon her and says,

"There's a job gang for a pickler in the Herring National and that German dame could get it if she wint doon."

Helga wis informed so she wint doon tae the place. Noo Helga being a cultured lassie nearly puked up with the smell, and the sight of the herring made her ill. She couldnae work there, and she got a right moothfae of cheek frae the auld mither, cos she said she wis a lazy midden and didnae see whit her laddie could see in her. Helga informed the mither that she wisnae lazy but not suited tae work in a fish-hoose. Then Helga made the announcement that she was expecting a baby. Noo, it sae happened that Jimmy Johnstone used tae call in by tae see Sammy's wife cos Sammy hid asked him tae call by eence a week tae see if she wis aright. Evil tongues started tae wag. Wis this Jimmy taking up with Helga? Dangerous mooths started tae pit evil thoughts aroon concerning Helga. The auld mither thought that she wis maybe some clatty prostitute from some of the queer stories she hid read intae silly magazines.

Jimmy wis a guid-living fella, and perhaps the best tae Helga apart frae her man but he widnae cheat upon his best pal. Whin the bairnie wis born it wis a wee laddie and it hid the blonde hair and blue een that ye wid expect of a German. Evil thoughts started tae think things like, 'Sammy his auburn hair, Helga his mid-broon hair and baith hae darker een yet this bairnie his blonde hair and blue een.' Helga's folks were fair-heided but she wis the exception, and her wee laddie, that she cawed Heinst, didnae look like Sammy.

Jimmy wis getting inuendoes thrown at him. They were supposed tae be funny but there were dangerous undertones. Sammy wis incredibly happy. He adored his wife and his wee laddie.

Some of the folks in the street where they bade gave Helga a lot of funny looks and often cawed her rude names. She wis beginning tae crack under the strain. The final crunch came whin Jimmy Johnstone came in by een night tae see her on the orders of his best pal Sammy, and Helga made him a nice supper. The fine savour wint roon the hoose and this wis far too much for the auld woman. She stormed intae Helga's room and cawed her frae Heaven tae Hell. She accused her of taking up with Jimmy whin Sammy wis awa working tae keep her a lazy midden. She caused sic a stoor that some of the neighbours came in tae see whit the ado wis aboot. Then the wifie frae doon the street came in and started tae caw her a nazi, and that she wis responsible for her loon being a cripple. Everybody was screaming at her and blaming her for aa the ills that they hid tae suffer during the war. Helga was alone in the world with her little bairn. She was a proud German lass and she said,

"You people all say that I am responsible for your misfortunes and you keep saying to me that you won the war, then let me tell you people there are no winners from a war, they are all losers. You say your son is a cripple but both my parents died by a British bomb that landed in Dresden. I have nobody in the world but my husband and my little Heinst. I have no friends in this place and I can feel the resentment from everyone. Jimmy comes to see me because my husband cares for me to see that I am all right. My little son is Scottish but I am German and proud of it. I was twelve when the war started and I was only a child myself. I have tried to be friendly but my friendship is spurned. You, Mrs Sinclair, say that I am lazy, yet I make all my own clothes and I rip up old jumpers tae create new ones. I limit my spending so that I can entertain friends if they come to see me. Well, I may speak a nice version of English but I can speak German, French and Spanish as well. You people think you are above me but I will show you that I can survive on my own. I will this very night leave this house and this city, and I make a vow I will never return to this place ever again for it is only a source of unpleasant memories."

Helga packed up a case and took her little boy away with her and with the little money she had saved by took a train to Edinburgh where she had decided tae start a new life. It was a terrible night of rain and she went into the storms of life.

Sammy wint really mad and he tried tae find oot whar his beloved wife wint. It wis tae nae avail. She seemed tae hae vanished aff the face of the earth. He left his mither's hoose and bade with his pal Jimmy — he wis completely devastated by his wife's leaving. The fella grate for a whole week and he hid tae pick up the fragments of his ain life. Yet his mither was glad and she aye wanted him tae tak up with Flossie McPhee, but Sammy wis true and faithful tae the wife he adored.

Meantime in Edinburgh the lassie got a job as a seam-stress and her boss let her work frae her little flat, so that meant she could look aifter her wee laddie.

Fate taen an unusual twist een day, cos there wis a time whin Helga wis shopping in Edinburgh, she wint intae a post office and there wis anither lassie speaking tae the wifie behind the coonter, and she seemed tae be haeing some difficulty tae get understood. Helga knew she wis anither German.

How refreshing it wis for Helga tae meet anither fellow country-woman and tae converse taegither in their ain German tongue. This lassie, wha wis a couple of years aulder than Helga, said that her name wis Marla. The twa women got yapping awa and they shared a few stories taegither aboot Germany. Then tae Helga's surprise she found oot that Marla wis a Jewish girl, and that her parents hid died in the holocaust. Yes, the war hid sic a lot tae answer for. Yet their wis nae animosity between the twa women and they became really great freens.

It sae happened that Marla hid a really nice large flat and she invited Helga tae come and share it and that she didnae mind the wee bairn being there. Marla said that she loved biding in Edinburgh and that she found the folks very ·kindly tae her, but Helga telt her that she wisnae as lucky. Although she said that her man wis a really guid man she couldnae stand the pressure that the ithers were pitting upon her. The twa lassies got on weel thegither and soon they started their wee dress-maker's place operating frae the flat. Baith the lassies were guid seamstresses, only Helga wis taught frae a school, while Marla learned her trade in the concentration camp. Noo they were gan tae pit the war behind them and try tae make the best for their futures. In a couple of years they hid a super wee business and during the new look period they were making a packet. By the time wee Heinst wis five his mither wis pitting him tae a private school. Marla wisnae mairried and wisnae gan with nae lads either. Baith the lassies were decent living and very enterprising.

By a chance of fate Jimmy Johnstone wis in Edinburgh een time and he wis daeing a bit of shopping roon the toon. He lost his wye and he ended up by the Holy Corner at Morningside; and it wis a busy place with some very posh hooses in that area. He spied a lassie coming oot of a shop with a couple of bags of messages. As she walked alang the street een of the paper bags burst and aathing went everywye. Jimmy ran tae her rescue and he picked up some of her messages. Being a gentleman, he offered tae cairry them for the lassie, wha jist happened tae be Marla. They spoke tae each ither as they walked the short journey back tae where Marla bade. The hoose wis a rather posh-looking hoose and it looked very nice. She invited Jimmy in and what a great surprise he got whin he saw Helga sitting at the scullery table. His mooth fell agape. Helga looked sae weel and bonnie. He ran ower and kissed her. She wis very glad tae see Jimmy, cos aifter aa, he wis aboot the only true friend she hid apart frae her husband.

"Weel, lass ye hae deen weel for yersel!"

"How are you doing, Jimmy, and how is Sammy doing?"

"Oh, Helga, ye jist dinnae ken how bad Sammy taen yer leaving: he his never looked at anither lassie."

"I wrote to him and told him where I was, but he never ever replied," she said.

"Helga, Sammy left his mither's hoose the day ye wint awa and he has bade with me ever since. His auld selfish midden of a mither probably kept yer letters for spite. He is innocent and he misses ye, and he even prays every night for ye and Heinst. He loves ye dearly," says Jimmy.

"Poor Sammy. I still love him very much; only I thought that he would have forgotten me by now."

"Believe me Helga, he never forgets ye. All he ever speaks aboot is ye and Heinst. Please — let me get him tae phone ye. Ye hae a phone in this hoose and there is a phone at the shop doonstairs whar I bide in Aberdeen. Let me tell him that I hae found ye — he wid be the happiest man in aa the world!"

"Yes, do. It would be good to hear Sammy's voice again," she said softly.

Jimmy speaks tae the phone operator and she pits him ontae the shop doonstairs frae his hoose intae Aiberdeen and in a couple of minutes Sammy came tae the phone.

"Hello, wha's this I am speaking tae?"

"It's me, Jimmy, and ye will never ken wha I just hae met intae Edinburgh. It's yer ain wife, Helga, and she looks wonderful."

"Dinnae be sae cruel tae try a joke like that on me," snarled Sammy.

Jimmy has salt tears rinning doon his een and he handed the phone ower tae Helga and she says,

"Darling Sammy, how are you getting on?"

There wis a pause for aboot half a minute. Then Sammy says quietly:

"Is that you, me wee German frauline?"

"It is indeed," she replied.

Sammy started tae howl and greet, and Helga tried tae hud back the floods of tears. Then words passed between them of love and joy mingled with mirth and laughter.

"I'm coming doon right awa, darling — I'm awa tae catch a train right noo!" and he hung up the phone.

"Silly man," says Helga. "He didn't even ask my address!"

Jimmy says, "I'll gang tae Waverley and meet him aff the train so he will ken whar tae come."

Marla was completely dumbfounded by all that was happening. They made Jimmy an excellent supper and later he went doon tae meet the train coming in frae Aiberdeen.

It wis a maist happy reunion. Sammy wis the happiest man in the world tae hae found his wife and bairn again.

"I want you here in Edinburgh because I am happy here and I have so many wonderful friends. This Scottish capital has a heart and it has opened it up to me and my friend Marla. We have a thriving business. You, Sammy, can be our driver and deliver our garments, and we have many girls working for us. But I will never return to Aberdeen. That only has bitter memories to me."

"You may stay where you are, for I will never ever let you go again," says Sammy.

Noo, a romance wis gan on between Marla and Jimmy and soon wedding bells rang for them too and they were beside themselves with joy. Everything wis working oot fine for everybody.

A few years passed and Helga had anither child and it was a little quinie. Noo, in the fifties the war wis forgotten aboot and there were many Germans biding in Scotland and naebody thought naething aboot it. In fact it wis considered quite fashionable tae hae German blood.

The auld woman Sinclair hid managed tae locate them in Edinburgh and she wrote tae them and asked if she and the family could come through tae visit with them cos she wanted tae see her grandchildren; so Helga did not deny them the privilege.

Weel, they aa came through in a boorichy. It wis fairly like a faimily gathering. It wis the christening of little Elsa Sinclair. Whit a posh affair it wis cos it wis in een of the posh Morningside churches and the tea aifter wis really something. Helga most certainly pit on a show for the Sinclairs wha still only bade in their council hoose in Woodside.

Sammy privately got on tae his mither for nae gaeing him the letters but the mither apologised and said that she thought that he still liked Flossie McPhee wha wis noo mairried tae a trawler lad frae Torry. She kent at last that Helga wis the woman for her son. Onywye the hale family tried their best tae mak amends, and invited them

177

tae come up for a holiday but Helga refused because she made an oath that she would never gang back again tae Aiberdeen cos it hid sic bad memories.

Aathing gangs through the washer, and it aa came oot right. There wis a reconcilation with everybody, and auld Mrs Sinclair even cawed Helga her daughter.

Before everybody wint awa hame Sammy stood up in the midst of them aa and he said,

"I am the happiest man in aa the world and the reason for that is aa due tae me very ain, wee German frauline, Helga."

A young lassie frae Inverness then came ontae the filleting table tae try and help us get the work aa finished. She too wis a traiveller lassie frae the North and I kent her folks. Her voice wis very polite and she spoke very guid English. Seemingly she hid bin in a home and she learned tae speak the bonnie Highland way. She kent a lot of stories as weel so I listenend tae her telling us a creepy story that night. She telt us this story.

ELSPITH

The icy blasts from the north battered against his face as he bravely continued his journey. Donald's face was weatherbeaten from his years of travelling through the various parts of the Highlands. Winter held no joy for him because being on the road in December could be very hazardous. His horse grudgingly pulled the cart against the onslaught of the snow storm; swirling winds in eddies shrieked all over the landscape. It was weather for neither man nor beast.

"It won't be long now, Fury, before we get you into the shelter of my brother's warm farmhouse. I'll make you some hot oats to heat you up and plenty of straw as weel," said Donald to his horse.

It was only two miles to go until they reached Andy's farmhouse near Strathpeffer. One or two stars could be seen through the cloud, and there were Northern Lights painting weird pictures that were flaming in the heavens.

'I think we'll make it before the snow storm really gets going,' thought Donald to himself. 'If I know Lizzie she will have a warm pot of soup in the fire. She is a sensible woman and always has refreshment for visitors. A good malt dram wouldn't go amiss either — you need something warm inside on nights like this!'

Before him the lonely road meandered over moor and mountain and Donald kept himself company by singing some old ballads that his mother had taught him many years before. Singing made the time pass and had a good effect upon the horse.

On a very isolated part of the road Donald spotted what appeared to look like a young woman on the road, afar off. 'Surely this cannot be a woman out on this lonely road by herself?' he thought. 'Perhaps a phantom from the mountains, or maybe a banshee?'

Donald, being a Traiveller, was very superstitious and at first he seemed to be afraid. Drawing nearer to the woman he realised that she was a real person and not a sepuchral spectre.

Stopping the horse and cart, he said to the young woman, "Lass, what are you doing on the road on such a cold night? You must be freezing to the skin. Get right on the cart and I will take you where you live."

Looking her over, Donald was amazed to see that she was very scantily dressed with only a silken gown. To make it more dreadful, she was not wearing shoes and she shivered in the night's icy grip. Gently Donald lifted her by the arm onto the front of the cart.

"What's your name and where are you going?"

"I'm going home to see my mother because it's my birthday. My name is Elspith and I live only two miles from here, near Strathpeffer."

"Well lass, you shouldn't be dressed so lightly on such a bitter night. You'll catch your death from the cold," said Donald in a fatherly manner.

"I am bitterly cold!" she cried out. "I need to sit at my mother's fireside for a while."

There were heaps of stuff upon Donald's cart and he had it covered over with a tarpaulin cloth so that his belongins were kept dry. He lifted it up at one corner with the right hand while keeping hold of the reigns in his left hand. Feeling for a dry blanket he grasped hold of one and pulled it out from under the tarpaulin. "Here lass, for heaven's sake wrap it around yourself."

Elspith took the warm woollen blanket and wrapped hersel in it. "This feels so good."

Donald spoke in a gentle manner to the young woman to kindly reassure that she was in safe hands and that he would have her home before the storm of the night became really fierce.

"How old are you?" asked Donald.

"I'm nineteen years old today." Then she kind of got excited and said, "Oh, there's my mother's farmhouse! If you let me off here then I can run over this field."

She took off the woollen blanket and handed it back to Donald. "Don't be silly lass, I'll get it tomorrow."

Elspith thanked Donald for his kindness. "Happy birthday, Elspith!" cried Donald as he watched her leap over the dry-stane dyke and run towards the farmhouse, which looked a most inviting haven from the bitter coldness of the North weather. "Well I'm glad to get that lass back home. I don't know how she managed to suffer the bitter cold with so scimpy clothes on. Never mind, Fury, I can see Strathpeffer in the distance."

About twenty minutes later Donald was sitting next to a warm blazing hearth suppin a bowl of thick soup. Just as he predicted, Lizzie always was prepared for receiving guests and she treated them like dignitaries. Andy kept topping up his glass with a strong malt whisky, making sure that his younger brother was shown all the respect due a highland gentleman.

Both the brothers had a deep affection for each other. Donald had chosen the path of his forefathers and travelled while Andy married Lizzie, who's father was a wealthy farmer and had left them the farm. Each of the men were happy in their own way of life, and they never quarrelled. When they met up every so often then you could be sure that a celebration was the order of the day. Lizzie, like most highland women, was a gem of a lady.

Snuggling into a cosy bed knowing that Fury was well attended to, Donald lay back thinking upon the events of the day. Strangely enough he could not get the memory of the young woman Elspith out of his mind. He resolved that he would inquire about her the next day just to ease his conscience. Pulling the warm sheets around him he settled down and fell asleep listening to the full wrath of the winter's winds and snow.

Lizzie awoke him with a splendid cooked breakfast. "I could have gotten up for my breafast," he said.

"No brother-in-law of mine will ever say that I did not treat him properly, and anyhow, you are a welcome guest here!"

"Lizzie dear, you are one in a million!" Donald replied, and Lizzie smiled with a twinkle in her eye.

Donald saddled up Fury and he rode him over the fields until he came to the farmhoose where he had dropped off Elspith the night before. Drifts of fresh snow lined the edges of the fields but on the roads the strong winds had shifted most of it to corners. There was still a bite in the air but the weather seemed settled for the time being. Making his way to the hoose Donald felt a sense of the unknown. He could not fathom why he should have some kind of apprehension for knocking at the door. Travellers are very psychic and for some reason Donald could feel the hair on his neck stiffen and a shiver kept going down his spine.

Reaching the door of the farmhouse he gave the large brass knocker a good heave, and a finely built, fresh-faced lady came to the door.

"Good morning. I have come to enquire about Elspith, and I only wanted to know if she got home alright, and if she had a nice birthday?"

Suddenly the fresh complexion of the lady turned to an ashen pale and it was as if the blood had all drained from her. She put her hand on her head and looked as if she was about to faint. Donald quickly caught hold of her and he knew by her reactions that he had fumbled dreadfully.

She managed to get back into the hoose and sat on an old rocking chair. "I am sorry, sir, you've given me quite a start. Give me a few moments to catch my breath."

"Please forgive me for being so clumsy," Donald said.

Then the lady replied, "You cannot have seen my Elspith, for you see she died ten years ago yesterday, and it was her nineteenth birthday."

Fear gripped at Donald's heart and he let out a loud gasp. He was dumbfounded.

"You can see now why I got such a start," said the woman.

Donald apologised to the lady and said it must have been a mistake. It had been dark the previous night and he obviously had came to the wrong house. "Then how did you know my daughter's name and how could you have known that yesterday was the anniversary of my daughter's death?''

Donald related the story of the young woman to the mother and after he told her the tale he begged his leave. The woman told Donald that her daughter was buried in the cemetery about half a mile down the road to the left. Somehow he felt he would have to go and look at the grave for himself to prove to himself that he had not imagined the whole story up.

Arriving at the cemetery Donald stopped to get his breath because his nerves were a bit frayed and Fury had been a bit fractious on the ride from the lady's house. He wandered around the lonely graveyard in search of the young girl's grave. Eventually he found the lair and it read 'Elspith MacLeod, who was taken away on her nineteenth birthday.' He knew that this was the lair of Elspith but on investigating further he was shocked to discover, lying neatly folded at the back of the headstone, the very same woollen blanket that he had given Elspith to wrap around herself. A strange melancholy filled his spirit, and it made Donald realise that he had actually been an instrument between the two worlds and that he was a witness to something rather macarbre. Why was he privileged to be the one chosen to see this young dead woman? To him she had seemed a real person who was only going to visit her mother on her birthday. It was a complete mystery.

Donald never forgot the incident but it brought home a point to him which was that sometimes a person can turn up at a place when they get caught up in the unkown. Since he was a Traiveller man he was in tune with the unknown and could be drawn into the super-natural world.

Anytime Donald was in company and people spoke of

strange things happening he would join in their discussions and add a real flavour to the crowd. After all, who can argue with a person who has actually been part of strange phenomena. They have testimony of the affair and nobody can shatter that experience of the supernatural happening.

Her story wis interesting and weel telt and by the time she hid telt it the place wis ready for cleaning up.

Then came the surprise of the evening. Whin everybody wis in the bothy changing their claes tae gang hame, the gaffer and the boss came back and they hid the hornies with them. It wis a plan set up with the boss and the gaffer tae catch oot the folks that hid bin chorin. Twa big burly policemen made them aa open up their bags and their pooches and whit an amount of fish they hid amongst them aa. Luckily enough I was not in possession of ony stolen fish. Yet a heap of them were caught. Some of them were dismissed on the spot and ithers were charged for stealing. I felt heart sorry for some of them but they were caught with their fingers in the jam so they hid tae tak the penalty for it. I wis relieved that neither I, nor aboot three ithers including the Inverness girl, hid onything, cos chorin cutlets disnae pay.

FANTASTIC FISH TALES

There are jist hundreds of stories I hae telt roon the fish-hoose tables intae Aiberdeen and monies the magical journey I hae teen fishworkers on. Herring wis aye a fish that sparked aff stories with mi, and I felt it a duty tae tak folks awa frae the dreary harsh world intae a wonderland so that their spirits could get refreshed. Working lang and dreary hours aa the time made ye sometimes very depressed and the stories were a real escape route awa intae the world of wizards, warlocks, witches and fairies. Ye often came back tae earth with a great crash, but the time ye were awa on the trip of fantasy it wis a wonderful escapism. Everybody needed tae hae an almost oot of body experience tae feel the supernatural worlds and tae let it be a part of their very character.

As I said the herring hid sae many stories of wonder aboot it that whinever I worked with them they used tae aye transport mi intae a world of make believe, whar things of great wonder could happen. Occasionally I wid sing the words of the herring song.

The herring it is the King of the Sea,
O fit will I dee with the herring's heid,
I'll mak it intae a loaf of breed.
Herring's eyes, pudding and pies,
Herring's fins, needles and pins,
Herring's back, a laddie cawed Jack,
Herring's belly a lassie cawed Nellie,
Herring's tail a ship with a sail
                          and aa sorts of things,
O aa the fish that swim in the sea,
The herring it is the fish for me,
Sing fa la la la, sing fa la la la, sing fala lariann.

Usually this fish merchant cut blackjacks but this night he wis cutting smaa herring. Oh, mi heid, fit a torturous night that wis gan tae be! Herring aye blinded me aifter a wee while cos their scales used tae shine like sequins and soon dazzle ye.

This night I wis working with a dose of lassies and loons and the fish were taking a lang time tae dae. Een of the quines says tae mi, "Dae ye ken ony stories aboot herring?"

"O aye. Dae ye nae ken that the herring is the cleanest fish in the sea?"

"No, tell me, how come?"

Aboot twa hundred years ago, jist beside Potarch on the Deeside, there wis a big hotel that wis famous for its salmon dishes. Noo there happened tae be a highwayman who often frequented the hotel and order aye the best Deeside salmon.

A skiffy lassie wha worked at the hotel wis very teen with him cos he wis a real guid-looking fella and she fancied him with his cocky bold wyes. His bold airs excited her and she aye liked it whin he frequented the tavern pairt of this hotel.

Aye day she heard some King's dragoons speaking aboot a plot tae catch the highwayman. The plan wis that they kent he wis coming there that night and that he wid be spending money that he got frae his ill-gotten gains, but they were gan tae spring a trap for him that very night. The plan wis set for seven o'clock. Noo the skiffie didnae wint tae see her bonnie laddie hung sae she also invented a plan tae help him and warn him of his pending doom. That night the highwayman came in a bit earlier than usual and he ordered frae the skiffie the very best Deeside salmon. The lassie wint hastily ben tae the kitchen and she quickly fried him a herring. On seeing the herring on his plate he says, 'I ordered a salmon nae a herring,' tae which she replied, 'The herring is the cleanest fish in the sea — it wis never a hing by mi belly' (meaning hanged for its belly) and he replied very aptly, 'and neither will I.' He immediately wint awa on his steed and escaped being caught by the dragoons.

"I never ever heard that story before," said the fish quine.

Anither bloke says, "Whar aboot dae ye get aa that stories frae — dae ye ever rin oot of stories?"

"Nae, never, I hae mair stories than Sherizad."

"Wha is she whin she's at hame?" asked the fella.

"She is the greatest story-teller wha ever lived and she telt the caliph Haroon El Rashid the stories that lasted

for a thousand and one Arabian nights. She wis sic a guid
story teller that she managed tae save her ain life and the
lives of many ithers."

Aye the stories did mak the time fly by and they brought
a little entertainment and joy tae folks daeing a gey dreary
job.

Looking back on these hard but happy times the fish
trade served a great purpose in mi life. Perhaps it wis a
cauld scabby thankless job, but I wis a richer man for the
experience and hope that the readers can share a wee
bit of insight intae the fish-hooses intae Aiberdeen.

Brief Glossary

bing avree	*go away (c.)*
corach	*silly person (g.)*
culloch	*old woman (g.)*
clatty	*dirty*
deek	*see*
deid ceilings	*dead hours*
dilly	*girl*
fammels	*fingers*
fleg	*fear*
gadgie	*man (c.)*
hantel	*people (r.)*
hizzie	*girl*
jigger	*door*
kane	*house*
manishee	*woman (c.)*
monteclara	*water (c.)*
mooligrabbed	*killed*
munting	*weeping*
lowdy	*money*
rege	*pound (money)*
scunner	*feel disgust*
steam	*smoke*
trash	*afraid (c.)*
yaks	*eyes*
yerim	*milk (c.)*
yarrows	*eggs (c.)*